TK_W6bxsPuUcmEDKA

INTELIGENCIA ARTIFICIAL
(UMBRALES ÉTICOS, DERECHO Y ADMINISTRACIONES PÚBLICAS)

MAR MORENO REBATO

Profesora Titular de Derecho Administrativo
Universidad Rey Juan Carlos

INTELIGENCIA ARTIFICIAL (UMBRALES ÉTICOS, DERECHO Y ADMINISTRACIONES PÚBLICAS)

Publicaciones de CETINIA

N.º 9

Centro para las Tecnologías Inteligentes de la
Información y sus Aplicaciones

GOBIERNO
DE ESPAÑA

MINISTERIO
DE CIENCIA, INNOVACIÓN
Y UNIVERSIDADES

THOMSON REUTERS
ARANZADI

Primera edición, 2021

THOMSON REUTERS PROVIEW™ eBOOKS
Incluye versión en digital

Esta monografía ha sido financiada por el Proyecto: Movilidad Inteligente y Sostenible: Infraestructura y Transporte Colaborativo (InEDGEMobility), concedido por el Ministerio de Ciencia, Innovación y Universidades (RTI2018-095390-B-C33)

Editorial Aranzadi, S.A.U.
Camino de Galar, 15
31190 Cizur Menor (Navarra)
ISBN: 978-84-1391-027-7
DL NA 1526-2021
Printed in Spain. Impreso en España
Fotocomposición: Editorial Aranzadi, S.A.U.
Impresión: Rodona Industria Gráfica, SL
Polígono Agustinos, Calle A, Nave D-11
31013 – Pamplona

A José, siempre en el auxilio.

Índice

Presentación

Este manuscrito surge en el contexto del proyecto *"Movilidad Inteligente y Sostenible: Infraestructura y Transporte Colaborativo"*, financiado por el Ministerio de Ciencia, Innovación y Universidades, cofinanciado con fondos FEDER, en *el Programa Estatal de I+D+i Orientada a los Retos de la Sociedad de 2018*, dentro de la categoría de *Proyectos de I+D+i "Retos Investigación"*.

El proyecto tiene como objetivo general producir resultados que mejoren la eficiencia de los sistemas de movilidad haciéndolos más sostenibles. Se centra, por un lado, en el desarrollo de métodos para una gestión eficiente de la infraestructura común de transporte que (i) mejore la disponibilidad de los recursos en base a la oferta y demanda y (ii) priorice el uso de recursos (limitados) para favorecer medios de transporte más eficientes y sostenibles sobre otros. Los recursos a los que nos referimos son infraestructuras (vías, carriles, aparcamientos, etc.) o medios de transporte (vehículos). En segundo lugar, se analiza el concepto de "transporte colaborativo" como una forma en la que varios transportistas establecen un plan conjunto para realizar diferentes tareas de transporte y aprovechando movimientos ya existentes o previstos. Se desarrollan métodos generales para facilitar este tipo de servicio.

Las soluciones investigadas se basan en gran medida en técnicas de IA y consisten en algoritmos o métodos que automatizan ciertas tomas de decisiones en entornos en los que participan diferentes agentes (humanos o no).

En muchos casos, las soluciones propuestas en proyectos científicos de este tipo se validan en laboratorio mediante prototipos y simulaciones. Sin embargo, muchas veces, tales sistemas no son directamente aplicables en el mundo real debido a las implicaciones éticas y legales de las soluciones propuestas, que además pueden ser diferentes según el lugar concreto de la potencial implantación del sistema.

Estos aspectos éticos y legales son de fundamental importancia en el desarrollo de una IA fiable. Por tanto, disciplinas en principio dispares como la IA y el Derecho deben ser tenidas en cuenta de forma conjunta en el desarrollo e implantación de los futuros sistemas inteligentes.

Este manuscrito aborda aspectos clave como los principios éticos de la IA, la seguridad y privacidad de los datos, la igualdad y no discriminación de los algoritmos, la transparencia y explicabilidad de las decisiones, los riesgos de la IA y la IA en las administraciones públicas, entre otros.

ALBERTO FERNÁNDEZ GIL

Director del Proyecto de Investigación *"Movilidad Inteligente y Sostenible: Infraestructura y Transporte Colaborativo"*.

Profesor Titular del área de Ciencia de la Computación e Inteligencia Artificial de la Universidad Rey Juan Carlos.

Introducción

La Unión Europea apuesta por una Inteligencia Artificial (en adelante, IA) lícita –que cumpla con las normas jurídicas aplicables–, ética –que respete los principios y valores consensuados–y robusta –tanto desde el punto de vista técnico como social–.

Las *Directrices éticas para una IA fiable*, fijadas por el Grupo independiente de expertos creado por la Comisión Europea, parte de cuatro principios éticos: respeto de la autonomía humana, prevención del daño, equidad y el hecho de que sea explicable. De estos cuatro principios éticos se extraen siete requisitos que deben cumplir los sistemas de IA: 1) acción y supervisión humana, 2) solidez técnica y seguridad, 3) gestión de la privacidad y de los datos, 4) transparencia, 5) diversidad, no discriminación y equidad, 6) bienestar ambiental y social, y 7) rendición de cuentas.

El libro se estructura, precisamente, así. Primero, se expone de dónde surgen esos principios éticos y se explica la necesidad de la regulación a través de normas jurídicas, trayendo a colación, especialmente, la propuesta de Reglamento de la Unión Europea sobre IA que, en breve, será aprobado, definitivamente. Después, los siguientes capítulos del libro se estructuran en torno a los siete requisitos que deben cumplir los sistemas de IA, según el Grupo Independiente de expertos, anteriormente mencionados y, trasladados, posteriormente, a la propuesta de Reglamento de la Unión Europea sobre Inteligencia Artificial.

Por último, el libro analiza la situación actual de la utilización de la IA por parte de la Administración Pública española: su despliegue, los cambios que empiezan a detectarse a nivel orgánico y organizativo, y el grado de impacto en la legislación administrativa y en los procedimientos administrativos, con los problemas jurídicos que se suscitan al respecto.

Si algo he aprendido a lo largo de estos años colaborando en el Proyecto de Investigación en el que se inscribe esta monografía es que el estudio de la Inteligencia Artificial solo se puede abordar de forma interdisciplinar. Las cuestiones aquí planteadas evidencian la necesidad de introducir los aspectos éticos y legales en los planes de estudio de los Grados y Másteres oficiales sobre IA[1] ¡porque no solo, pero sobre todo desde el diseño, se puede contribuir a una IA lícita, ética y robusta! Modestamente, a este objetivo, pretende contribuir esta pequeña monografía.

---

1. Sobre una propuesta de nueva titulación sobre Derecho e Inteligencia artificial, *vid.* nuestro trabajo: "¡El futuro ya está aquí! Derecho e Inteligencia artificial", en *Revista Aranzadi de Derecho y Nuevas Tecnologías*, 2018, Número 48 (septiembre-diciembre).

Capítulo I

Principios éticos y Derecho

1. ALCANCE, PLANTEAMIENTO EN TORNO A SU REGULACIÓN Y CONCEPTO DE INTELIGENCIA ARTIFICIAL

Compraventa de acciones bursátiles a través de negociación algorítmica de alta frecuencia, herramientas de analítica jurisprudencial predictiva que ayudan a definir estrategias procesales en el ámbito del Derecho, sistemas predictivos que calculan la probabilidad de reincidencia en la comisión de delitos, o de fraude en el otorgamiento de ayudas o contratos públicos, reconocimiento facial, cirugía robótica, análisis de imágenes clínicas, apoyo en decisiones diagnósticas y terapéuticas, control de pandemias, ensayos clínicos para desarrollar nuevos fármacos que pueden eliminar la necesidad de experimentación animal, introducción de algoritmos en la detección y pronóstico de incendios recopilando datos ambientales del terreno y meteorológicos, análisis de comportamiento de los océanos a través de datos de teledetección recogidos por satélite, monitoreo de cultivos y suelos para capturar datos, mediante visión, robots que realizan tareas agrícolas, aplicación de pesticidas químicos planta por planta, aplicaciones basadas en Inteligencia Artificial para mejorar competencias educativas para niños con dificultades de aprendizaje, coches autónomos, conectados, que envían, reciben y analizan ingentes cantidades de datos, transporte público inteligente y bajo demanda, ciudades inteligentes y un larguísimo etcétera. La Inteligencia Artificial, una tecnología disruptiva, el gran motor tras la cuarta revolución industrial, 4.0, ya está muy presente en nuestras vidas y es una tecnología que ha venido para quedarse.

La Inteligencia Artificial se desarrolla mediante el uso de algoritmos y datos. Un algoritmo es un conjunto de instrucciones para solucionar un problema. Estas instrucciones se realizan a través de un código (lenguaje informático). Con el tiempo los algoritmos se han hecho más complejos, pasando de ser estáticos (no aprenden con el tiempo, sino que los programadores diseñan ya, en los mismos, los criterios para tomar las decisiones) a ser dinámicos (*machine learning*, aprenden con el tiempo de los datos y experiencias para tomar decisiones por sí mismos, generando nuevas instrucciones que ya no son las iniciales del programador) e, incluso, algoritmos de aprendizaje profundo (*Deep learning*), que emulan redes neuronales complejas, extraen patrones de masas de datos y los resultados que se obtienen no están relacionados de modo lineal sino complejo, por lo que no es fácil determinar la relación o causalidad entre los datos y la decisión adoptada. El mayor problema que plantean los algoritmos de aprendizaje automático es que los humanos pueden llegar a no controlar la causalidad entre los datos y la decisión tomada, se pierde la transparencia del proceso volviéndose, incluso, opacos para sus creadores (que, incluso, pueden no entender la lógica que siguen) convirtiéndose el proceso de decisión por parte del algoritmo en una caja negra (*black box*)[1].

La Inteligencia Artificial necesita una gran cantidad de datos para el aprendizaje automático (Big Data o macrodatos) pero el Big Data utiliza, a su vez, la inteligencia artificial y sus técnicas para extraer valor de los grandes volúmenes de información; se correlacionan, por tanto, de manera bidireccional[2].

El Big Data, "permite manejar, sistematizar, mapear, graficar, administrar, ordenar, analizar y visualizar datos, para convertirlos en información; implica una serie de procesos para que, además, dicha información genere valor y tenga una utilidad o persiga un fin específico. En Big Data, la minería de datos o *data mining* juega un importante papel, ya que a través de sus técnicas es como los especialistas consiguen obtener patrones de esos grandes volúmenes de datos. A través del uso de algoritmos (que, como decíamos antes, son un conjunto de parámetros e instrucciones que permiten estudiar los datos para convertirlos, entre otras cosas, en información) se obtienen soluciones a través de una serie de pasos lógicos y predeterminados. Pero ello, también lleva implícito un gran desafío tecnológico, pues la complejidad del minado de datos es cada vez mayor y los algoritmos tienden a ser también cada vez más intrincados"[3].

Pero el Big Data es, también, un gran negocio, los datos que circulan en redes y servidores se comercializan[4] y esto puede dar lugar a lo que se

---

1. *vid.* PONCE SOLÉ, J.: "Inteligencia artificial, Derecho Administrativo y reserva de humanidad: algoritmos y procedimiento administrativo debido tecnológico", *Revista General de Derecho Administrativo*, n.° 50, 2019, p. 7.

2. *vid.* ARELLANO TOLEDO, W.: "El derecho a la transparencia algorítmica en big data e inteligencia artificial", *Revista General de Derecho Administrativo*, n.° 50, 2019, p. 5.

3. Ibídem, pp. 1, 2 y 3.

4. Piénsese en empresas como Google o Facebook que aparentemente ofrecen un servicio sin coste alguno a cambio de aceptar sus términos, condiciones de uso y política de privacidad mientras que llevan a cabo un tratamiento masivo de datos personales que, a su vez, ceden a terceros. O piénsese, también, en fenómenos como el de la

ha denominado una sociedad de clases digitales, donde nuestros datos se etiquetan, por colectivos, a partir de prácticas discriminatorias, de tipo social y económico[5] ante las cuales el Derecho no puede quedar indiferente. En este sentido, por ejemplo, el Parlamento Europeo publicó, en 2017, una Resolución sobre las implicaciones de los macrodatos en los derechos fundamentales: privacidad, protección de datos, no discriminación, seguridad y aplicación de la ley[6].

Pocos países han iniciado la regulación de la Inteligencia artificial[7]. Entre todos destacan Corea del Sur[8] y Japón[9]. Otro grupo de países han constituido comisiones o comités de estudio para abordar la futura regulación sobre la inteligencia artificial como Taiwán[10], Estados Unidos[11], Reino Unido[12], y, también la Unión Europea[13], el Consejo de

---

compra de WhatsApp o Instagram por Facebook y, por tanto, de los datos e información personal que ambas manejan. En este negocio se inscriben las empresas denominadas "data brokers".

5. *vid.* SANCHO LÓPEZ, M.: "Estrategias legales para garantizar los derechos fundamentales frente a los desafíos del big data", *Revista General de Derecho Administrativo*, n.° 50, 2019, p. 4.

6. https://www.europarl.europa.eu/doceo/document/TA-8-2017-0076_ES.html

7. *vid.* LEA, G.: "Why we need a legal definition of artificial intelligence", *The Conversation*, 2 September 2015, (https://theconversation.com/why-we-need-a-legal-definition-of-artificial-intelligence-46796).

8. *vid. Intelligent Robots Development and Distribution Promotion Act.* (Act No. 9014, Mar. 28, 2008, Amended by Act No. 9161, Dec. 19, 2008). Statutes of the Republic of Korea. http://elaw.klri.re.kr/eng_mobile/viewer.do?hseq=17399&type=sogan&key=13.

9. *Guidelines to Secure the Safe Performance of Next Generation Robots*, de 6 de abril de 2007 y *New Robots Strategy* de 10 de febrero de 2015, (http://www.meti.go.jp/english/press/2015/pdf/0123_01b.pdf).

10. *vid.* NISA ÁVILA, J. A.: "Robótica e Inteligencia Artificial ¿legislación social o nuevo ordenamiento jurídico?", en *ElDerecho.com*, 30 de marzo de 2016.

11. *vid.* Committee on Technology, *"Preparing for the Future of Artificial Intelligence"* (National Science and Technology Council – Executive Office of the President of the United States of America, 12 October 2016), y *The national artificial intelligence research and development strategic plan*, October, 2016, https://obamawhitehouse.archives. gov/sites/default/files/whitehouse_files/microsites/ostp/NSTC/national_ai_rd_strategic_plan.pdf.

12. *vid.* Documento del Comité de Ciencia y Tecnología de la Cámara de los Comunes titulado: *Robotics and artificial intelligence*, 12 de octubre de 2016, y la respuesta del Gobierno a dicho informe de 11 de enero de 2017, (https://publications.parliament. uk/pa/cm201617/cmselect/cmsctech/145/14502.htm, https://publications.parliament.uk/pa/cm201617/cmselect/cmsctech/896/896.pdf).

13. *vid.* Resolución del Parlamento Europeo, de 16 de febrero de 2017, con recomendaciones destinadas a la Comisión sobre normas de Derecho civil sobre robótica (2015/2103(INL)), http://www.europarl.europa.eu/sides/getDoc.do?pubRef=-//EP//TEXT+TA+P8-TA-2017-0051+0+DOC+XML+V0//ES. Sobre esta Resolución, *vid.* SHEAD, S.: "European politicians have voted to rein in the robots", en *Business Insider Nederland*, 16 February 2017; WALKER-OSBORN, Ch. and CHAN, Ch.:

Europa[14] o las Naciones Unidas[15]. El Gobierno de España, también, ha creado una comisión para la elaboración de un Libro blanco sobre Inteligencia Artificial[16]. Una primera cuestión que habrá que resolver es si es necesario una norma de ámbito nacional, o comunitario (Unión Europea) o, incluso, tratados internacionales para su regulación. En todo caso está claro que existe una absoluta necesidad de regular jurídicamente la Inteligencia Artificial[17]. Pero en qué sentido. ¿Es posible que una regulación se adelante a la ciencia? ¿Podríamos regular la ciencia-ficción? Es decir, una materia que todavía no es posible, científicamente, pero que podría ser en un futuro cercano ¿debería regularse ya?[18] Hace unos años, Bill GATES, Stephen HAWKING y Elon MUSK advertían de los riesgos de la Inteligencia Artificial y que podía crearse una Inteligencia Artificial superior a la humana que se tornase en contra de los seres humanos[19]. En todo caso, no es frecuente que estas escasas normas reguladoras, o en los documentos

---

"Artificial Intelligence and the Law", *ITNOW*, Volume 59, Issue 1, 1, March 2017, https://doi.org/10.1093/itnow/bwx017. En especial, la Propuesta de Reglamento del Parlamento europeo y del Consejo por el que se establecen normas armonizadas en materia de inteligencia artificial (ley de inteligencia artificial) y se modifican determinados actos legislativos de la Unión, de 21 de abril de 2021, COM/2021/206 final, https://eur-lex.europa.eu/legal-content/ES/TXT/?uri=COM:2021:206:FIN.

14. *vid.* Recomendación 2102 (2017) de la Asamblea Parlamentaria del Consejo de Europa, titulada: *"Technological convergence, artificial intelligence and human rights"*, de 28 de abril, http://assembly.coe.int/nw/xml/XRef/Xref-XML2HTML-en.asp?fileid=23726&lang=en.

15. El 7 de septiembre de 2017 se firmó el acuerdo para la creación del primer Centro de Inteligencia artificial y robótica de las Naciones Unidas, con sede en la ciudad de La Haya dependiente de la UNICRI (Instituto Interregional de las Naciones Unidas para investigaciones sobre la delincuencia y la justicia), http://www.unicri.it/in_focus/on/UNICRI_Centre_Artificial_Robotics.

16. *vid.* http://www.lamoncloa.gob.es/serviciosdeprensa/notasprensa/minetur/Paginas/2017/141117iartificialybigdata.aspx.

17. Sobre esta cuestión, *vid.* DANAHER, J.: "Is effective regulation of AI possible? Eight potential regulatory problems", *Philosophical Disquisitions*, 7 July 2015; BROGAN, K.: "To Regulate or not to Regulate? That is the AI Question", *Compelo*, 14 February 2017, http://www.compelo.com/ai-regulation; CASTILLA, A. and ELMAN, J.: "Artificial intelligence and the law", *TechCrunch*, 28 January 2017; SCHERER, M.: "Is Legal Personhood for AI Already Possible Under Current United States Laws?" *Law and AI*, May 14, 2017, pp. 353-400; HOFFMANN-RIEM, W.: "Artificial intelligence as a challenge for law and regulation", In *Regulating artificial intelligence, Spinger*, 2020, pp. 1-29.

18. SURDEN, H.: "Artificial intelligence and law: An overview", *Georgia State University Law Review, 35* (4), 2019, 1305-1337.

19. *vid.* SAINATO, M.: "Stephen Hawking, Elon Musk, and Bill Gates Warn About Artificial Intelligence", *Observer*, 19 August 2015; http://observer.com/2015/08/stephen-hawking-elon-musk-and-bill-gates-warnabout-artificial-intelligence/. Para evitar este temor, se ha creado la Fundación Partnership on AI to Benefit People and Society por parte de empresas como Microsoft, Amazon, Apple, Google, Facebook,

que han ido elaborando estos comités, se defina la Inteligencia Artificial[20] ¿Por qué no lo hacen? La respuesta se encuentra en que, si la definición es demasiado específica, los avances posteriores en Inteligencia Artificial pueden hacer que la descripción se vuelva obsoleta, ya que no comprenderá las nuevas mejoras tecnológicas. Por lo tanto, la definición debe ser flexible y que no lastre la innovación tecnológica.

Ofrecemos a continuación varios conceptos de Inteligencia Artificial realizados por distintas instituciones europeas:

"Sistema de inteligencia artificial (sistema de IA)": el *software* que se desarrolla empleando una o varias de las técnicas y estrategias que figuran en el anexo I y que puede, para un conjunto determinado de objetivos definidos por seres humanos, generar información de salida como contenidos, predicciones, recomendaciones o decisiones que influyan en los entornos con los que interactúa[21].

Anexo I:

a) Estrategias de aprendizaje automático, incluidos el aprendizaje supervisado, el no supervisado y el realizado por refuerzo, que emplean una amplia variedad de métodos, entre ellos el aprendizaje profundo.

Estrategias basadas en la lógica y el conocimiento, especialmente la representación del conocimiento, la programación (lógica) inductiva, las bases de conocimiento, los motores de inferencia y deducción, los sistemas expertos y de razonamiento (simbólico).

Estrategias estadísticas, estimación bayesiana, métodos de búsqueda y optimización".

Tal y como se establece en la Exposición de Motivos, de la propuesta de Reglamento de la Unión Europea sobre IA, las partes interesadas solicitaron una definición ajustada, clara y precisa. Se trata de una definición tecnológicamente neutra que pretende resistir el paso del tiempo lo mejor

---

IBM para explicar los beneficios de la inteligencia artificial, *vid.* https://www.partnershiponai.org/.

20. Sí lo hace, por ejemplo, la norma ISO/IEC 2382:2015(en), 212377, sobre Información tecnológica, que define la inteligencia artificial como la capacidad de una unidad funcional para realizar funciones que generalmente están asociadas con la inteligencia humana, como el razonamiento y el aprendizaje.

21. *vid.* artículo 3 y Anexo I de la Propuesta de Reglamento del Parlamento Europeo y del Consejo estableciendo normas armonizadas sobre IA, COM (2021) 206 final, de 21 de abril de 2021, https://eur-lex.europa.eu/legal-content/ES/TXT/?uri=COM:2021:206:FIN.

posible, teniendo en cuenta la rápida evolución tecnológica y del mercado de la IA. La definición se complementa con una lista de técnicas y estrategias, concretas, que se usan en su desarrollo. Pero, realmente, no estamos ante un concepto cerrado de IA, ya que tanto el propio concepto de IA como los sistemas de IA considerados de alto riesgo, pueden actualizarse a través de actos delegados de la Comisión Europea[22].

> "Un sistema basado en programas informáticos o incorporado en dispositivos físicos que manifiesta un comportamiento inteligente al ser capaz, entre otras cosas, de recopilar y tratar datos, analizar e interpretar su entorno y pasar a la acción, con cierto grado de autonomía, con el fin de alcanzar objetivos específicos"[23].

Y, efectivamente,

> "Puede consistir simplemente en un programa informático (p.ej. asistentes de voz, programas de análisis de imágenes, motores de búsqueda, sistemas de reconocimiento facial y de voz), pero la IA también puede estar incorporada en dispositivos de hardware (p. ej. robots avanzados, automóviles autónomos, drones o aplicaciones del internet de las cosas)"[24].

Por su parte, la *Carta Ética europea sobre el uso y desarrollo de la inteligencia artificial en los sistemas judiciales*, de la Comisión Europea para la Eficiencia de la Justicia, del Consejo de Europa, de diciembre de 2018, realiza la siguiente definición:

> "INTELIGENCIA ARTIFICIAL (IA) Conjunto de métodos, teorías y técnicas científicas cuyo objetivo es reproducir, mediante una máquina, las capacidades cognitivas del ser humano. Los desarrollos actuales buscan que las máquinas realicen tareas complejas previamente realizadas por humanos".

En términos mucho más sencillos, para legos en la materia, la inteligencia artificial puede ser definida como la "inteligencia exhibida por máquinas"[25]; en definitiva, una "máquina" inteligente, que piensa como un humano y que, incluso, puede mejorar su rendimiento. En realidad,

---

22. *vid.* artículos 4 y 7 de la Propuesta de Reglamento de la UE sobre IA.
23. *vid.* artículo 4 de la Propuesta de Reglamento realizada por el Parlamento Europeo en la Resolución del Parlamento Europeo, de 20 de octubre de 2020, con recomendaciones destinadas a la Comisión sobre un marco de los aspectos éticos de la inteligencia artificial, la robótica y las tecnologías conexas.
24. *vid.* COTINO HUESO, L: "Riesgos e impactos del Big Data, la inteligencia artificial y la robótica. Enfoques, modelos y principios de la respuesta del Derecho", *Revista General del Derecho Administrativo*, n.° 50, 2019, p. 3.
25. *vid.* https://es.wikipedia.org/wiki/Inteligencia_artificial#cite_note-1.

la inteligencia artificial se puede dividir en cuatro tipos[26]: 1. Sistemas que piensan como humanos. Estos sistemas tratan de emular el pensamiento humano; por ejemplo, las redes neuronales artificiales. La automatización de actividades que vinculamos con procesos de pensamiento humano, actividades como la toma de decisiones, resolución de problemas y aprendizaje. 2. Sistemas que actúan como humanos. Estos sistemas tratan de actuar como humanos; es decir, imitan el comportamiento humano; por ejemplo, la robótica. El estudio de cómo lograr que los computadores realicen tareas que, por el momento, los humanos hacen mejor. 3. Sistemas que piensan racionalmente. Es decir, con lógica (idealmente), tratan de imitar o emular el pensamiento lógico racional del ser humano; por ejemplo, los sistemas expertos. El estudio de los cálculos que hacen posible percibir, razonar y actuar y, 4. Sistemas que actúan racionalmente (idealmente). Tratan de emular de forma racional el comportamiento humano; por ejemplo, los agentes inteligentes. Está relacionado con conductas inteligentes en máquinas.

2. PRINCIPIOS ÉTICOS

2.1. INTRODUCCIÓN

Las Directrices éticas para una Inteligencia artificial fiable, documento elaborado por un Grupo independiente de expertos de alto nivel, creado por la Comisión Europea, establecen que la Inteligencia Artificial debe estar al servicio de la humanidad y del bien común, su objetivo debe centrarse en mejorar el bienestar y la libertad de los seres humanos[27].

---

26. *vid.* RUSSELL, S. J. y NORVIG, P.: *Inteligencia Artificial: Un Enfoque Moderno*, 2.ª edición, Pearson, 2008, p. 2. Las seis disciplinas que abarcan la mayor parte de la Inteligencia artificial son (Ibídem, p. 3):
    – Procesamiento de lenguaje natural que le permita comunicarse satisfactoriamente en un idioma;
    – Representación del conocimiento para almacenar lo que se conoce o siente;
    – Razonamiento automático para utilizar la información almacenada para responder a preguntas y extraer nuevas conclusiones;
    – Aprendizaje automático para adaptarse a nuevas circunstancias y para detectar y extrapolar patrones;
    –Visión computacional para percibir objetos;
    – Robótica para manipular y mover objetos.
    vid. SAMOILI, S., LÓPEZ COBO, M., GÓMEZ, E., DE PRATO, G., MARTÍNEZ-PLUMED, F., y DELIPETREV, B.: *AI Watch. Defining Artificial Intelligence. Towards an operational definition and taxonomy of artificial intelligence*, 2020, Luxembourg.
27. *Directrices éticas para una IA fiable*. Grupo independiente de expertos de alto nivel sobre inteligencia artificial, creado por la Comisión Europea, 2018, página 5 del documento.

La Inteligencia Artificial puede ofrecer numerosas ventajas como, por ejemplo, el asistente personal del teléfono móvil, el navegador del coche o la búsqueda de información en plataformas digitales y numerosas oportunidades para el progreso, por ejemplo, en los transportes (minimizando colas, optimizando rutas), en medicina, en la lucha contra la corrupción, en la lucha contra el cambio climático, en la prevención de ataques de ciberseguridad, pero también puede provocar daños (materiales e inmateriales) como, por ejemplo, la destrucción de puestos de trabajo, o un robot quirúrgico que causa una lesión mayor que la que trata de remediar, o un robot asesino, o un robot que manipula el comportamiento humano, o un sistema de identificación biométrica que confunde a un inocente con un delincuente, o que el conjunto de datos que utilizan los sistemas de IA contengan sesgos que acaben discriminando, etc.. El marco regulador que proporciona el Derecho debe centrarse, fundamentalmente, en minimizar daños y, por tanto, prevenir riesgos.

Un estudio publicado por la Escuela Politécnica Federal de Zúrich[28] llega a la conclusión de que existe un acuerdo global en torno a cinco principios éticos: transparencia, justicia y equidad, no maleficencia, responsabilidad y privacidad. Ahora bien, en el estudio, se subraya que existen desacuerdos sustanciales en relación con la forma en que se interpretan estos principios, por qué se consideran importantes y cómo deben implementarse[29]. En este mismo sentido, en el documento de las Directrices éticas para una inteligencia artificial fiable, elaborado por un grupo independiente de expertos, creado por la Comisión Europea, anteriormente citado, se advierte que "Este documento ha sido redactado por el Grupo

---

28. *Artificial Intelligence: the global landscape of ethics guidelines*, Health Ethics & Policy Lab, ETH Zurich, 2019.

29. Sobre los principios éticos y la IA, *vid.* CARRILLO, M. R.: "Artificial intelligence: From ethics to law", *Telecommunications Policy*, 2020. https://doi.org/10.1016/j.telpol.2020.101937; The IEEE Global Initiative on Ethics of Autonomous and Intelligent Systems. Classical Ethics in A/IS. In *Ethically Aligned Design*, 2019, pp. 36-67. https://standards.ieee.org/industry-connections/ec/autonomous-systems.html; EMA, A.: *EADv2 Regional Reports on A/IS Ethics: Japan*. The Ethics Committee of the Japanese Society for Artificial Intelligence, 2018. https://standards.ieee.org/content/dam/ieeestandards/standards/web/documents/other/eadv2_regional_report.pdf; JOBIN, A., IENCA, M., & VAYENA, E.: "The global landscape of AI ethics guidelines", *Nature Machine Intelligence*, 1(9), 2019, 389-399; FLORIDI, L.: "Establishing the rules for building trustworthy AI". *Nature Machine Intelligence*, 1(6), 2019, 261-262. https://doi.org/10.1007/s11023-018-9482-5; FLORIDI, L., COWLS, J., BELTRAMETTI, M., CHATILA, R., CHAZERAND, P., DIGNUM, V., C. LUETGE, R. MADELIN, U. PAGALLO, F. ROSSI, B. SCHAFER, P. VALCKE AND E. VAYENA: "AI4People white paper: Twenty recommendations for an ethical framework for a good AI society", *Minds and Machines, 28*, 2018, 689–707. https://doi.org/10.1007/s11023-018-9482-5; ASÍS, R. de: "Inteligencia artificial y Derechos Humanos", *Materiales de Filosofía del Derecho*, n.° 4, 2020.

de expertos de alto nivel sobre inteligencia artificial (IA). Los miembros del Grupo de expertos citados en este documento respaldan el marco general para una IA fiable descrito en las presentes directrices, aunque no están necesariamente de acuerdo con todas y cada una de las afirmaciones que se realizan en ellas"[30].

2.2. INICIATIVAS QUE HAN IDO PERFILANDO UNOS PRINCIPIOS ÉTICOS

Desde el enfoque de la autorregulación se han ido desarrollando distintas iniciativas que han ido perfilando la construcción de unos principios éticos entorno a la IA[31], unas provienen de organizaciones no gubernamentales (como los principios *Asilomar*[32]), otras de instituciones representativas de profesionales afectados por la IA, otras de la Academia (como la Declaración de Montreal), otras de distintas corporaciones que han desarrollado códigos de conducta, otras provienen de iniciativas internacionales (como los principios de la OCDE), otras del ámbito Unión Europea o de países, concretos, que han elaborado guías. Por su importancia, nos detendremos, en especial, en las directrices éticas para una inteligencia artificial fiable, Grupo Independiente de expertos creado por la Comisión Europea.

Nos centraremos en algunas de ellas:

A) Principios de la OCDE sobre inteligencia artificial adoptados, también, por el G20

Los Principios de la OCDE sobre Inteligencia Artificial promueven la inteligencia artificial (IA) que es innovadora y confiable y que respeta los derechos humanos y los valores democráticos. Fueron adoptados en mayo de 2019 por los países miembros de la OCDE cuando aprobaron la Recomendación del Consejo de la OCDE sobre Inteligencia Artificial[33].

---

30. Una crítica a este documento puede verse en: MCMILLAN, D., & BROWN, B.: "Against ethical AI", en *Proceedings of the Halfway to the Future Symposium*, 2019, pp. 1-3; SMUHA, N. A.: "The EU approach to ethics guidelines for trustworthy artificial intelligence", *CRi-Computer Law Review International*, 20 (4), 2019, pp. 97-106.

31. Un estudio más pormenorizado de las mismas en HERNÁNDEZ PEÑA, J. C.: "Gobernanza de la Inteligencia Artificial en la Unión Europea. La construcción de un marco ético-jurídico aún inacabado", *Revista General de Derecho Administrativo*, n.º 56, 2021.

32. *ASILOMAR AI PRINCIPLES*, 2017, especialmente los principios sobre ética y valores (6 a 18); *vid.* https://futureoflife.org/ai-principles/.

33. *Recommendation of the Council on Artificial Intelligence* OECD, 22 de mayo de 2019 (file:///C:/Users/urjc/Downloads/OECD-LEGAL-0449-en.pdf).

En junio de 2019, el G20 adoptó los Principios de IA centrados en el ser humano que se basan en los Principios de IA de la OCDE.

Se formulan cinco grandes Principios, que transcribo, literalmente:

1. Crecimiento inclusivo, desarrollo sostenible y bienestar

    Las partes interesadas deben participar de manera proactiva en la administración responsable de la IA confiable en la búsqueda de resultados beneficiosos para las personas y el planeta, como aumentar las capacidades humanas y mejorar la creatividad, promover la inclusión de poblaciones subrepresentadas, reducir las desigualdades económicas, sociales, de género y de otro tipo, y proteger los entornos naturales, estimulando así el crecimiento inclusivo, el desarrollo sostenible y el bienestar.

2. Valores y equidad centrados en el ser humano

    a) Los actores de la IA deben respetar el Estado de derecho, los derechos humanos y los valores democráticos durante todo el ciclo de vida del sistema de IA. Estos incluyen libertad, dignidad y autonomía, privacidad y protección de datos, no discriminación e igualdad, diversidad, equidad, justicia social y derechos laborales reconocidos internacionalmente.

    b) Para ello, los actores de la IA deben implementar mecanismos y salvaguardas, como la capacidad de determinación humana, que sean apropiados al contexto y consistentes con el estado del arte.

3. Transparencia y explicabilidad

    Los actores de IA deben comprometerse con la transparencia y la divulgación responsable con respecto a los sistemas de IA. Para ello, deben proporcionar información significativa, adecuada al contexto y coherente con el estado de la técnica: fomentar una comprensión general de los sistemas de IA, concienciar a las partes interesadas de sus interacciones con los sistemas de IA, incluso en el lugar de trabajo, permitir que los afectados por un sistema de IA comprendan el resultado, y permitir que aquellos afectados negativamente por un sistema de inteligencia artificial cuestionen su resultado basándose en información simple y fácil de entender sobre los factores y la lógica que sirvió como base para la predicción, recomendación o decisión.

4. Robustez, seguridad y protección

   a) Los sistemas de IA deben ser robustos y seguros durante todo su ciclo de vida para que, en condiciones de uso normal, uso previsible o mal uso, u otras condiciones adversas, funcionen adecuadamente y no presenten riesgos de seguridad irrazonables.

   b) Con este fin, los actores de la inteligencia artificial deben garantizar la trazabilidad, incluso en relación con los conjuntos de datos, los procesos y las decisiones tomadas durante el ciclo de vida del sistema de inteligencia artificial, para permitir el análisis de los resultados del sistema de inteligencia artificial y las respuestas a las consultas, de manera adecuada al contexto y coherente con el estado del arte.

   c) Los actores de la IA deben, según sus roles, el contexto y su capacidad para actuar, aplicar un enfoque sistemático de gestión de riesgos en cada fase del ciclo de vida del sistema de IA de forma continua para abordar los riesgos relacionados con los sistemas de IA, incluida la privacidad, la seguridad digital, seguridad y sesgo.

5. Responsabilidad

   Los actores de la IA deben ser responsables del correcto funcionamiento de los sistemas de IA y del respeto de los principios anteriores, en función de sus funciones, el contexto y de conformidad con el estado de la técnica.

B) Declaración de Toronto

La Declaración de Toronto sobre la protección de los derechos de igualdad y no discriminación en los sistemas de aprendizaje automático, de 16 de mayo de 2018[34]. Se trata de una declaración preparada por Amnistía Internacional y Access Now, que ha sido aprobada por Human Rights Watch y Wikimedia Foundation.

Los Estados tienen la obligación de promover, proteger y respetar los derechos humanos. El sector privado, incluidas las empresas, tiene la responsabilidad de respetar los derechos humanos en todo momento. Esta Declaración se aprueba para afirmar estas obligaciones y responsabilidades. E, incluye:

---

34. https://www.accessnow.org/the-toronto-declaration-protecting-the-rights-to-equality-and-non-discrimination-in-machine-learning-systems/.

Los derechos de igualdad y no discriminación.

Esta Declaración se centra en los derechos a la igualdad y la no discriminación, principios críticos que sustentan todos los derechos humanos.

Prevenir la discriminación.

El sector público y el privado tienen obligaciones y responsabilidades bajo la ley de derechos humanos para prevenir proactivamente la discriminación. Cuando la prevención no es suficiente o satisfactoria, la discriminación debe ser mitigada.

C) Carta Ética europea sobre el uso de la inteligencia artificial en los sistemas judiciales y su entorno, del Consejo de Europa

La *Carta Ética europea sobre el uso y desarrollo de la inteligencia artificial en los sistemas judiciales*, de la Comisión Europea para la Eficiencia de la Justicia del Consejo de Europa, de diciembre de 2018[35]. En esta Carta se destacan cinco grandes principios: 1. Principio de respeto a los derechos fundamentales: asegurar que el diseño e implementación de herramientas y servicios de Inteligencia Artificial sean compatibles con los derechos fundamentales. 2. Principio de no discriminación: Prevenir específicamente el desarrollo o intensificación de cualquier discriminación entre personas o grupos de personas. 3. Principio de calidad y seguridad: En lo que respecta al tratamiento de las decisiones y datos judiciales, utilizar fuentes certificadas y datos intangibles con modelos concebidos de manera multidisciplinaria, en un entorno tecnológico seguro. 4. Principio de transparencia, imparcialidad y equidad: Hacer que los métodos de procesamiento de datos sean accesibles y comprensibles además de autorizar auditorías externas. 5. Principio "bajo el control del usuario": Evitar un enfoque prescriptivo y asegurar que los usuarios estén informados y sean actores en control de sus elecciones[36].

D) Otras iniciativas

Por su extensión, citaremos solo algunas de ellas, Comunicado de 8 de abril de 2019 de la Comisión Europea, sobre *Siete requisitos esenciales para lograr una inteligencia artificial fiable*[37]. El Consejo de Europa también ha aprobado declaraciones en esta línea, como por ejemplo: las *Directrices*

---

35. https://campusialab.com.ar/wp-content/uploads/2020/07/Carta-e%CC%81tica-europea-sobre-el-uso-de-la-IA-en-los-sistemas-judiciales–.pdf.

36. https://rm.coe.int/ethical-charter-en-for-publication-4-december-2018/16808f699c.

37. file:///C:/Users/urjc/Downloads/Inteligencia_artificial__La_Comisi_n_contin_a_su_trabajo_sobre_directrices__ticas.pdf.

sobre Inteligencia Artificial y Protección de Datos de enero de 2019[38], la *Declaración del Comité de Ministros sobre las capacidades manipuladoras de los procesos algorítmicos* de febrero de 2019[39] y *Unboxing Artificial Intelligence: 10 steps to protect Human Rights* de mayo de 2019[40]. También, algunos países, han ido elaborando guías de principios éticos[41].

E) En especial, las directrices éticas para una inteligencia artificial fiable, grupo independiente de expertos creado por la Comisión Europea[42]

El objetivo de las Directrices fijadas por el grupo de expertos, anteriormente mencionado, es promover, en el ámbito europeo, una Inteligencia Artificial fiable. En este sentido, sostienen que la fiabilidad de la Inteligencia Artificial (IA) se apoya en tres componentes que deben satisfacerse a lo largo de todo el ciclo de vida del sistema: a) la IA debe ser lícita, es decir, cumplir todas las leyes y reglamentos aplicables; b) ha de ser ética, de modo que se garantice el respeto de los principios y valores éticos; y c) debe ser robusta, tanto desde el punto de vista técnico como social, puesto que los sistemas de IA, incluso si las intenciones son buenas, pueden provocar daños accidentales. A su vez, entienden, que los sistemas de IA deben cumplir siete requisitos:

1) acción y supervisión humanas,

2) solidez técnica y seguridad,

3) gestión de la privacidad y de los datos,

4) transparencia,

5) diversidad, no discriminación y equidad,

6) bienestar ambiental y social, y

7) rendición de cuentas[43].

---

38. https://rm.coe.int/guidelines-on-artificial-intelligence-and-data-protection/168091f9d8.

39. https://search.coe.int/cm/pages/result_details.aspx?objectid=090000168092dd4b.

40. https://rm.coe.int/unboxing-artificial-intelligence-10-steps-to-protect-human-rights-reco/1680946e64.

41. *vid.* por ejemplo, Holanda, el documento sobre *Directrices para la aplicación de algoritmos por parte de los organismos públicos*, 2019 y en Malta, *vid. Towards Trustworthy AI, Malta Ethical AI Framework*, october, 2019, p. 7 y ss.

42. *Directrices éticas para una IA fiable.* Grupo independiente de expertos de alto nivel sobre inteligencia artificial, creado por la Comisión Europea, 2018, *vid.* https://op.europa.eu/es/publication-detail/-/publication/d3988569-0434-11ea-8c1f-01aa75ed71a1.

43. *Directrices éticas para una IA fiable.* Grupo independiente de expertos de alto nivel sobre inteligencia artificial, creado por la Comisión Europea, 2018, páginas 6 y 18 del Documento.

El Grupo de expertos parte de un enfoque de la ética en la IA basado en los derechos fundamentales consagrados en los Tratados de la Unión Europea, la Carta de los Derechos Fundamentales de la Unión Europea (la "Carta de la UE" [LCEur 2000, 3480]) y la legislación internacional de derechos humanos. El respeto de los derechos fundamentales, dentro de un marco de democracia y estado de Derecho, proporciona la base más prometedora para identificar los principios y valores éticos abstractos que se pueden poner en práctica en el contexto de la IA. Derechos fundamentales que son legalmente exigibles en la Unión Europea[44].

Se enumeran cuatro principios éticos, arraigados en los derechos fundamentales, que deben cumplirse para garantizar que los sistemas de IA se desarrollen, desplieguen y utilicen de manera fiable. De estos principios éticos se derivan, a su vez, una serie de requisitos que deben cumplir los sistemas de IA. Estos son[45]:

I). Respeto de la autonomía humana: esto implica garantizar la supervisión y el control humano sobre los procesos de trabajo de los sistemas de IA. El control humano se refiere a la capacidad de que los seres humanos intervengan durante el ciclo de diseño del sistema y el seguimiento de su funcionamiento; y la capacidad de supervisar la actividad global del sistema, incluidos sus efectos económicos, sociales, jurídicos y éticos ("el mando humano").

II). Prevención del daño: los sistemas de IA no deben provocar daños (o agravar los existentes) ni perjudicar de cualquier otro modo a los seres humanos. No pueden, por tanto, destinarse a usos malintencionados. Esto conlleva la protección de la dignidad humana, así como de la integridad física y mental. Estrechamente relacionado con este principio se encuentra el componente de la solidez técnica y la seguridad. La IA tiene que tener una solidez técnica, tiene que ser desarrollada con un enfoque preventivo en relación con los riesgos, de modo que sus sistemas se comporten siempre según lo esperado y minimicen los daños involuntarios e imprevistos, evitando causar daños inaceptables. Al mismo tiempo, los sistemas de IA tienen que ser capaces de resistir a los ataques informáticos y ser seguros, ya que se pueden alterar los datos y el comportamiento del sistema, pudiendo dar lugar a decisiones erróneas, maliciosas o, incluso, causar daños físicos. La privacidad y la protección de la intimidad, también están estrechamente relacionados con la prevención del daño. Los sistemas de IA deben garantizar la protección de la intimidad y de los datos a lo largo de todo el ciclo de vida del sistema. Esto incluye la información inicialmente facilitada por el usuario, así como la información generada sobre

---

44. Ibídem, p. 12 del documento *Directrices éticas para una IA fiable*.
45. Ibídem, pp. 14 y ss. y pp. 20 y ss. del documento *Directrices éticas para una IA fiable*.

el usuario en el contexto de su interacción con el sistema. Es evidente, en este contexto, que los registros digitales de las personas y su comportamiento, no solo pueden dejar rastro de sus preferencias sino también es fácil inferir de los mismos su orientación sexual, edad, género, opiniones políticas y religiosas. Es necesario, por tanto, establecer protocolos que determinen quién puede acceder a los datos y en qué circunstancias.

III). Equidad: esto implica asegurar que las personas y grupos no sufran sesgos injustos, discriminación ni estigmatización. Los conjuntos de datos que utilizan los sistemas de IA (tanto con fines de formación como para su funcionamiento) pueden presentar sesgos históricos inadvertidos, lagunas o modelos de gestión incorrectos. El mantenimiento de dichos sesgos podría dar lugar a prejuicios y discriminación (directa e indirecta) contra determinados grupos o personas, lo que podría agravar los estereotipos y la marginación. Siempre que sea posible, los sesgos identificables y discriminatorios deberían eliminarse en la fase de recopilación de la información. La propia programación de algoritmos también puede presentar sesgos injustos, por lo que hay que contar con procesos de supervisión. Tampoco puede permitirse que se engañe a los usuarios ni se limite su libertad de elección. También incluye, en su faceta procedimental, oponerse a las decisiones adoptadas por los sistemas de IA y por las personas que los manejan. Se debe poder identificar a la entidad responsable de la decisión y explicar los procesos de adopción de decisiones. Igualmente, los sistemas de IA deben ser accesibles, para que todas las personas puedan utilizar los productos o servicios de IA con independencia de su edad, género, capacidades o características; especialmente para las personas con discapacidad, por lo que los sistemas de IA deben ser adaptables y tener en cuenta los principios del Diseño Universal. Además, la IA debe ser respetuosa con el medio ambiente, tanto desde la perspectiva de sus objetivos (contribuir a los objetivos de desarrollo sostenible[46]), como en los procesos de desarrollo, despliegue y utilización de sistemas de IA, aspectos que deben ser objeto de evaluación. También se debe evaluar sus repercusiones desde la perspectiva social, teniendo en cuenta sus efectos sobre las instituciones, la democracia y la sociedad en su conjunto (por ejemplo, en la toma de decisiones políticas o en procesos electorales). Deben, también, articularse mecanismos que permitan garantizar la responsabilidad y rendición de cuentas sobre los sistemas de IA y sus resultados (auditabilidad y utilización de evaluaciones de impacto, antes y después del desarrollo, despliegue y utilización de sistemas de IA, para minimizar sus efectos negativos y, en el caso de que se produzcan asegurar una compensación –indemnización– adecuada).

---

46.   *vid.* TRUBY, J.: "Governing artificial intelligence to benefit the UN sustainable development goals". *Sustainable Development*, 2020, https://doi.org/10.1002/sd.2048.

IV). Explicabilidad: es crucial para conseguir que los usuarios confíen en los sistemas de IA. Los procesos han de ser transparentes, las decisiones deben poder explicarse (de manera directa o indirecta) porque sin esta información no es posible impugnar adecuadamente una decisión. En este sentido, los algoritmos de "caja negra" (donde, muchas veces, no es posible explicar por qué un modelo ha generado un resultado o una decisión particular, ni qué combinación de factores contribuyeron a ello) requieren una especial atención. En este sentido, es necesario adoptar otras medidas relacionadas con la explicabilidad (por ejemplo, la trazabilidad, la auditabilidad y la comunicación transparente sobre las prestaciones del sistema), siempre y cuando el sistema en su conjunto respete los derechos fundamentales. La transparencia, por tanto, es un requisito de la IA; transparencia en los datos, el sistema y los modelos de negocio. Debe asegurarse la trazabilidad, es decir, los conjuntos de datos y los procesos que dan lugar a la decisión del sistema de IA deben documentarse con arreglo a la norma más rigurosa posible con el fin de posibilitar la trazabilidad y aumentar la transparencia; esto permitirá identificar los motivos de una decisión errónea por parte del sistema, lo que a su vez podría ayudar a prevenir futuros errores. La trazabilidad, por tanto, facilita la auditabilidad y la explicabilidad. Pero la explicabilidad también incluye la comunicación; el derecho del usuario a saber que está interactuando con un sistema de IA; por lo tanto, los sistemas de IA deben identificarse como tales, deben comunicar este extremo y, cuando sea necesario, se debería ofrecer al usuario la posibilidad de decidir si prefiere interactuar con un sistema de IA o con otra persona, con el fin de garantizar el cumplimiento de los derechos fundamentales.

Los anteriores principios éticos se traducen, a su vez, en siete requisitos, concretos, que deben concurrir para hacer realidad una IA fiable: 1) acción y supervisión humanas, 2) solidez técnica y seguridad, 3) gestión de la privacidad y de los datos, 4) transparencia, 5) diversidad, no discriminación y equidad, 6) bienestar ambiental y social, y 7) rendición de cuentas.

Estos requisitos tienen como destinatarios: a los desarrolladores, que deben introducir y aplicar los requisitos en los procesos de diseño y desarrollo; a los responsables del despliegue, que deben asegurarse de que los sistemas que utilizan y los productos y servicios que ofrecen cumplen los requisitos establecidos; a los usuarios finales y la sociedad en su conjunto, que deben permanecer informados sobre dichos requisitos y tener la capacidad de pedir que se cumplan[47].

---

47. *Directrices éticas para una IA fiable.* Grupo independiente de expertos de alto nivel sobre inteligencia artificial, creado por la Comisión Europea, 2018, páginas 6 y 18 del documento.

3. PRINCIPIOS ÉTICOS Y DERECHO. AUTORREGULACIÓN Y/O REGULACIÓN

Hemos hecho referencia, anteriormente, a los principios éticos que sustentan el uso de la Inteligencia Artificial, la pregunta ahora es si dichos principios éticos son suficientes para garantizar el desarrollo y el buen uso de la misma. Es decir, si además de estos es necesaria la adopción de un marco normativo vinculante, específico de la Inteligencia Artificial, que resuelva las deficiencias y lagunas que se presentan, en este sector, y de respuesta a problemas estrictamente jurídicos que se plantean. Es cierto que, por lo menos en el marco europeo, algunos de estos principios éticos pueden extraerse o derivarse de normas concretas del Derecho Comunitario (y de normas nacionales de los países miembros) tanto del Derecho originario (Tratados) como del Derecho derivado (Reglamentos y Directivas, fundamentalmente) como, por ejemplo, el principio de igualdad y no discriminación (en relación a la discriminación algorítmica, por ejemplo) y en tanto forman parte de dicho Derecho se convierten en principios jurídicos aplicables y vinculantes. Ahora bien, este sería sin duda un sistema inacabado, con lagunas interpretativas e, incluso, con vacío legal en muchos aspectos, como expondremos más adelante. Y es que en el uso de esta tecnología pueden surgir disputas legales sobre responsabilidades entre los proveedores de tecnología de Inteligencia Artificial y las empresas y entre estas y los usuarios que pueden ver, por ejemplo, vulnerados sus derechos, algunos de ellos, incluso, derechos fundamentales (a la igualdad, a la no discriminación, a la tutela judicial efectiva…) o que dicha vulneración de derechos se derive del uso de la Inteligencia Artificial por parte de las Administraciones Públicas, lo que puede dar lugar al derecho a percibir una indemnización (de responsabilidad patrimonial) por parte de las mismas. La pregunta, por tanto, es si es suficiente con una autorregulación en el uso de esta tecnología, basada en los principios éticos que se han ido estableciendo al respecto, y de los que hemos dado cuenta anteriormente, o bien si es más conveniente la aprobación de un marco jurídico vinculante que, además, pueda ser complementado con normas éticas e instrumentos de *soft law* (directrices, guías, códigos éticos…). La respuesta es, sin duda controvertida, dada la necesidad de no "encorsetar" u "obturar" el desarrollo de esta tecnología. Así, entre las distintas potencias en Inteligencia Artificial, la respuesta es dispar. Mientras Estados Unidos viene defendiendo que la regulación debe considerarse como "última ratio" y siempre que no sea posible la autorregulación, China, por su parte, sigue un modelo de fuerte intervención y liderazgo gubernamental con vistas a dominar el mercado global[48].

---

48. *vid.* HERNÁNDEZ PEÑA, J. C.: "Gobernanza de la Inteligencia Artificial en la Unión Europea. La construcción de un marco ético-jurídico aún inacabado", *Revista General de Derecho Administrativo*, n.° 56, 2021, p. 38.

La Unión Europea, por su parte, está apostando por la regulación, por la elaboración de un Reglamento comunitario de Inteligencia Artificial (que complementa, a su vez, al resto del Derecho de la Unión que afecta a esta tecnología) complementado con unos principios éticos. En este sentido se dice:

"Por tanto, es necesario un marco jurídico de la Unión que establezca normas armonizadas sobre inteligencia artificial para fomentar el desarrollo, el uso y la asimilación de la inteligencia artificial en el mercado interior que, al mismo tiempo, cumpla con un alto nivel de protección de los intereses públicos, como la salud, la seguridad y la protección de los derechos fundamentales, reconocidos y protegidos por el Derecho de la Unión. Para alcanzar ese objetivo, deben establecerse normas que regulen la comercialización y la puesta en servicio de determinados sistemas de inteligencia artificial, garantizando así el buen funcionamiento del mercado interior y permitiendo que dichos sistemas se beneficien del principio de libre circulación de bienes y servicios. Al establecer dichas normas, el presente Reglamento respalda el objetivo de la Unión de ser un líder mundial en el desarrollo de inteligencia artificial segura, fiable y ética, según lo declarado por el Consejo Europeo y garantiza la protección de los principios éticos, tal y como se solicita específicamente por el Parlamento Europeo"[49].

No obstante, para los sistemas de Inteligencia Artificial que no se consideran de alto riesgo se crea un marco para la creación de códigos de conducta que permitan la aplicación voluntaria de los requisitos obligatorios para los sistemas de IA de alto riesgo[50].

En definitiva, la Unión Europea opta por establecer un marco normativo horizontal (el Reglamento de Inteligencia Artificial) proporcionado, basado en el riesgo, con la posibilidad de que todos los proveedores de sistemas de IA que no sean de alto riesgo sigan un código de conducta; es decir, prescinde de realizar un enfoque sectorial, o basarse en un sistema de etiquetado voluntario, o de establecer unos requisitos obligatorios para todos los sistemas de IA, independientemente del riesgo que plantean.

---

49. *vid.* Considerando (5) de la propuesta de Reglamento del Parlamento Europeo y del Consejo estableciendo normas armonizadas sobre inteligencia artificial (Ley de Inteligencia Artificial) y modificando ciertos actos legislativos de la Unión. Bruselas, 21-4-2021.

50. *vid.* Título IX de la propuesta de Reglamento del Parlamento Europeo y del Consejo estableciendo normas armonizadas sobre inteligencia artificial (Ley de Inteligencia Artificial) y modificando ciertos actos legislativos de la Unión. Bruselas, 21-4-2021.

En relación a los códigos de conducta, la propuesta de Reglamento de la UE sobre IA establece[51]:

1. Que la Comisión y los Estados miembros fomentarán y facilitarán la elaboración de códigos de conducta, voluntarios, para los sistemas IA que no son considerados de alto riesgo. Estos códigos de conducta (códigos éticos) promoverán la aplicación voluntaria de los requisitos exigidos a los sistemas IA de alto riesgo (requisitos que, en relación a estos, sí son de obligado cumplimiento).

2. Estos códigos podrán ser elaborados por proveedores individuales de los sistemas de IA, por organizaciones que los representen o por ambos, también con la participación de usuarios y de cualquier parte interesada y sus organizaciones representativas. Estos códigos de conducta podrán abarcar uno o varios sistemas de IA.

Distintos países, a título individual, ya contemplan las cuestiones éticas dentro de sus Estrategias nacionales de IA[52].

---

51. *vid.* artículo 69 de la propuesta de Reglamento UE sobre IA recoge: "Artículo 69 Códigos de conducta.
    1. La Comisión y los Estados miembros fomentarán y facilitarán la elaboración de códigos de conducta destinados a promover la aplicación voluntaria de los requisitos establecidos en el título III, capítulo 2, a sistemas de IA distintos de los de alto riesgo, sobre la base de especificaciones y soluciones técnicas que constituyan medios adecuados para garantizar el cumplimiento de dichos requisitos a la luz de la finalidad prevista de los sistemas.
    2. La Comisión y el Comité fomentarán y facilitarán la elaboración de códigos de conducta destinados a promover la aplicación voluntaria a sistemas de IA de los requisitos relativos, por ejemplo, a la sostenibilidad ambiental, la accesibilidad para personas con discapacidad, la participación de partes interesadas en el diseño y desarrollo de los sistemas de IA y la diversidad de los equipos de desarrollo, sobre la base de objetivos claros e indicadores clave de resultados para medir la consecución de dichos objetivos.
    3. Los códigos de conducta podrán ser elaborados por proveedores individuales de sistemas de IA, por organizaciones que los representen o por ambos, también con la participación de usuarios y de cualquier parte interesada y sus organizaciones representativas. Los códigos de conducta podrán abarcar uno o varios sistemas de IA, teniendo en cuenta la similitud de la finalidad prevista de los sistemas pertinentes.
    4. La Comisión y el Comité tendrán en cuenta los intereses y necesidades específicos de los proveedores a pequeña escala y las empresas emergentes cuando fomenten y faciliten la elaboración de códigos de conducta".
52. Malta ha establecido un Comité Nacional de Ética Tecnológica en el marco de la Autoridad de Innovación Digital de Malta (MDIA) para supervisar el Marco Ético de IA, (*vid.* Malta: *The Ultimate AI Launchpad, A Strategy and Vision for Artificial Intelligence in Malta 2030,* Octubre 2019 y Malta digital innovation authority act, de 15 de julio de 2018).
    Suecia ha creado el Comité de Ética e Innovación Tecnológica (Komet). Fue establecido por el gobierno sueco el 14 de agosto de 2018.

En Reino Unido, el Servicio Digital del Gobierno (GDS) y la Oficina de Inteligencia Artificial (OAI) han publicado una guía conjunta sobre cómo construir y usar inteligencia artificial (IA) en el sector público (https://www.gov.uk/government/collections/a-guide-to-using-artificial-intelligence-in-the-public-sector). El Centro de Ética e Innovación de Datos (CDEI) es un organismo asesor independiente creado y encargado por el gobierno del Reino Unido para asesorar sobre cómo maximizar los beneficios de estas tecnologías, incluida la inteligencia artificial (https://www.gov.uk/government/publications/the-centre-for-data-ethics-and-innovation-calls-for-evidence-on-online-targeting-and-bias-in-algorithmic-decision-making).

En Austria, el Consejo Austriaco de Robótica e Inteligencia Artificial, identifica y analiza las oportunidades, los riesgos y los desafíos actuales y futuros que surgen del uso de robots y sistemas autónomos (RAS) y la inteligencia artificial (IA) desde una perspectiva tecnológica, económica, social y legal.

En Estonia, en agosto de 2017, el Ministerio de Transporte, Innovación y Tecnología estableció un Consejo de Robótica e Inteligencia Artificial (ACRAI), para brindar recomendaciones sobre los desafíos y oportunidades actuales y futuros de la IA.

En Alemania existe una Comisión de Ética de Datos. La Comisión de Ética de Datos está compuesta por dieciséis expertos de los campos de la medicina, el Derecho, la informática, la estadística, la economía, la teología, la ética y el periodismo. Es independiente, pero cuenta con el apoyo organizativo del Ministerio Federal del Interior, Construcción y Comunidad (BMI) y del Ministerio Federal de Justicia y Protección al Consumidor (BMJV). La Comisión tiene la tarea de proponer directrices éticas para la política de datos, algoritmos, Inteligencia Artificial e innovación digital, y proporcionar recomendaciones y propuestas regulatorias al gobierno alemán.

En Francia se ha creado un Comité Digital dentro del Comité Consultivo Nacional de Ética. Los principios éticos se concretan a través de las siguientes recomendaciones de política, entre otras:

- Para garantizar la conciencia ética desde la etapa de diseño, la ética podría incorporarse en la formación de ingenieros e investigadores que estudian la IA;
- Fortalecimiento de la ética en las empresas (por ejemplo, creación de comités de ética, difusión de buenas prácticas sectoriales, revisión de códigos de conducta profesional preexistentes, previsión de códigos éticos para programas de investigación).
- Creación de una plataforma nacional de auditoría de algoritmos. La evaluación de la conformidad con los marcos legales y éticos aumentaría la transparencia y reduciría los posibles abusos del uso de la IA.

En Finlandia se ha desarrollado un Programa de Certificación de Ética de la Asociación de Normas del Instituto de Ingenieros Eléctricos y Electrónicos (IEEE) para sistemas autónomos e inteligentes (ECPAIS) (*vid.* Comunicado de prensa, IEEE, *IEEE Launches Ethics Certification Program for Autonomous and Intelligent Systems* (2 de octubre de 2018), https://standards.ieee.org/news/2018/ieee-launches-ecpais.html, archivado en https://perma.cc/3WBR-VJ6U). El programa ha creado especificaciones para los procesos de certificación y marcado que promueven la transparencia, la rendición de cuentas y la reducción del sesgo algorítmico en los sistemas autónomos e inteligentes.

Capítulo II

Acción y supervisión humana. Solidez técnica y seguridad. Gestión de la privacidad y de los datos

1. ACCIÓN Y SUPERVISIÓN HUMANAS. CONTROL Y MANDO HUMANO (INCIDENCIA EN LOS DERECHOS FUNDAMENTALES)

Los sistemas de Inteligencia Artificial deben respaldar la autonomía humana y la toma de decisiones de las personas. También deben permitir la supervisión humana. En la medida en que los sistemas de IA puedan afectar negativamente a los derechos fundamentales (a la igualdad, a la no discriminación, a la dignidad humana, a la privacidad...) debe llevarse a cabo una evaluación del impacto sobre los mismos. Esta evaluación debería llevarse a cabo antes del desarrollo de los sistemas de IA e incluir una evaluación de las posibilidades de reducir dichos riesgos o de justificar estos como necesarios en una sociedad democrática para respetar los derechos y libertades de otras personas. Los usuarios deben ser capaces de tomar decisiones autónomas, estar informados de que están interactuando con un sistema de IA, dado que estos sistemas pueden, en ocasiones, llegar a condicionar e, incluso, manipular el comportamiento humano (manipulación subliminal o juguetes que interactúan con los niños y que pueden inducir a comportamientos peligrosos, por ejemplo). La clave para todo ello es configurar el derecho a no ser sometido a una decisión basada, exclusivamente, en procesos automatizados, cuando tal decisión produzca efectos jurídicos sobre las personas.

La supervisión humana puede llevarse a cabo a través de mecanismo de gobernanza (por ejemplo, la creación de órganos con competencias de supervisión, como autoridades nacionales de vigilancia y supervisión o un Comité Europeo de IA, como propone la propuesta de Reglamento de la Unión Europea de IA, o Consejos Éticos dentro de las empresas), o a través de la participación humana, del control humano o mando humano.

El control humano se refiere a la capacidad de que intervengan seres humanos durante el ciclo de diseño del sistema y en el seguimiento de su funcionamiento. El mando humano es la capacidad de supervisar la actividad global del sistema de IA, incluidos sus efectos económicos, sociales, jurídicos y éticos, así como la capacidad de decidir cómo y cuándo utilizar un sistema IA en una situación determinada; lo cual puede llevar a la decisión de no utilizarlo, a establecer niveles de discrecionalidad humana durante el uso del sistema o garantizar la posibilidad de ignorar una decisión adoptada por un sistema IA[1].

En relación a lo anterior, la propuesta de Reglamento de la Unión Europea sobre IA diseña una regulación de la IA basado en el riesgo y diferencia una serie de sistemas de IA que están, directamente, prohibidos, al considerarse que generan riesgos inadmisibles por contravenir los valores de la Unión y, especialmente, por facilitar la vulneración de derechos fundamentales, otros considerados de alto riesgo (por ser potencialmente lesivos para la seguridad de las personas o para el respeto de los derechos fundamentales) y los de riesgo mediano o bajo[2].

Los riesgos prohibidos (y, por tanto, los sistemas de IA prohibidos) son los que eluden la voluntad de los usuarios (porque, por ejemplo, utilizan técnicas de manipulación), el reconocimiento facial o identificación biométrica remota, en "tiempo real" en espacios públicos (aunque con excepciones, porque puede ser autorizado por razones de seguridad pública, por ejemplo medidas antiterroristas o policiales para la localización de víctimas de un delito, incluidos los niños desaparecidos, o la localización y detención de sospechosos de delitos graves[3]) y sistemas que permiten la "puntuación social"[4] por parte de autoridades públicas.

---

1. *Directrices éticas para una IA fiable.* Grupo independiente de expertos de alto nivel sobre inteligencia artificial, creado por la Comisión Europea, 2018, páginas 19 y 20.

2. *vid.* artículos 5 y 6 y 69 de la Propuesta de Reglamento de la Unión Europea sobre IA.

3. *vid.* VESTBY, A., & VESTBY, J.: "Machine learning and the police: Asking the right questions", *Policing: A Journal of Policy and Practice,* 2019, https://doi.org/10.1093/police/paz035; FERGUSON, A. G.: "Policing predictive policing". *Washington University Law Review, 94* (5), 2016, pp. 1109-1189.

4. China ha implantado el denominado "sistema de crédito social" que empezó a funcionar, en 2020, en todo el país. A cada ciudadano chino se le otorga un número de puntos que irá aumentando o disminuyendo en función de la confianza en seguir los criterios de educación cívica impuesto por el régimen chino. Los ciudadanos podrán obtener una serie de ventajas o perderlas como, por ejemplo, imposibilidad de acceder a determinados puestos de trabajo, prohibición de comprar billetes en tren o avión, alojarse en hoteles, que sus hijos vayan a un buen colegio, etc. Serán controlados por la combinación de las tecnologías como la big data, el reconocimiento facial, la monitorización de internet y un algoritmo que utiliza inteligencia artificial irá determinado su puntuación, *vid.* LANGER, P. F.: *"Lessons from China – The Formation of a Social Credit*

Por otra parte, entre los sistemas de IA de alto riesgo se encuentran[5]: los sistemas de IA destinados a ser utilizados como componentes de seguridad de productos; o los empleados en infraestructuras críticas que pueden poner en peligro la vida y la salud de los ciudadanos, por ejemplo, en los transportes; la selección de empleados (por ejemplo, la clasificación CV en procesos de selección de empleados); los servicios públicos y privados esenciales (como la puntuación crediticia o la solvencia de las personas físicas, que puedan determinar el acceso de esas personas a los recursos financieros o servicios esenciales como la vivienda, la electricidad y los servicios de telecomunicaciones, los que puedan conducir a la discriminación de personas o grupos y perpetuar patrones históricos de discriminación, por ejemplo, basados en orígenes raciales, discapacidad, edad, orientación sexual); la formación educativa o profesional que pueda determinar el acceso a la educación y a la carrera profesional, o para evaluar a personas en pruebas; la aplicación de leyes y la administración de justicia (porque pueden ser injustos y discriminatorios si no están basados en datos de muy alta calidad, y pueden conducir a la vigilancia, arresto o privación de libertad de las personas, o afectar al derecho a un juicio justo, al derecho de defensa, a la presunción de inocencia, o el derecho al recurso); o los sistemas de inteligencia artificial utilizados en la gestión de la migración, el asilo y el control de fronteras (por ejemplo, la autenticidad de los documentos de viaje). Todos estos sistemas de IA de alto riesgo solo pueden ponerse en servicio, o introducirse en el mercado de la Unión Europea si cumplen unos determinados requisitos obligatorios y están sometidos a una evaluación de conformidad *ex ante*.

Los sistemas de IA de riesgo limitado tienen disposiciones específicas de información y transparencia; por ejemplo, los robots de conversación, donde los usuarios deberán ser conscientes de que están interactuando con una máquina y podrán tomar la decisión de continuar o no.

Por último, respecto a los sistemas IA de riesgo mínimo o nulo la propuesta de Reglamento no interviene, por considerar que solo representan un riesgo mínimo o nulo para los derechos o la seguridad de los ciudadanos.

System: Profiling, Reputation Scoring, Social Engineering", en *The 21st Annual International Conference on Digital Government Research. Association for Computing Machinery, New York*, 2020, pp. 164–174; DOI: *https://doi.org/10.1145/3396956.3396962;* "El sistema de crédito chino: una puntuación con muchas consecuencias", *vid.* https://www.ionos.es/digitalguide/online-marketing/analisis-web/que-es-el-sistema-de-credito-social-chino/; SHEN, F: "Social credit system in China", https://www.researchgate.net/publication/331733377_Social_Credit_System_in_China.

5. *vid.* artículo 6 y Anexo III de la Propuesta de Reglamento de la Unión Europea sobre IA.

2. SOLIDEZ TÉCNICA Y SEGURIDAD (RESISTENCIA A LOS ATAQUES Y SEGURIDAD, PLAN DE REPLIEGUE, PRECISIÓN, FIABILIDAD Y REPRODUCIBILIDAD)

La solidez técnica está estrechamente vinculada al principio de prevención del daño. Los sistemas de IA deben desarrollarse con un enfoque preventivo en relación con los riesgos, de manera que se comporten según lo esperado y minimicen los daños involuntarios e imprevistos. Debe garantizarse, en todo caso, la integridad física y mental de los seres humanos.

Los sistemas de IA deben ser resistentes a los ataques y deben ser seguros. Deben protegerse de ser explotados por agentes malintencionados que puedan alterar los datos y el comportamiento del sistema, de modo que éste adopte decisiones diferentes o, sencillamente, desconecte. Para que los sistemas de IA se consideren seguros es preciso tener en cuenta las posibles aplicaciones imprevistas de dichos sistemas, que pueden ser utilizados, por agentes malintencionados, para fines distintos de los inicialmente previstos.

Los sistemas de IA deben contar con un plan de repliegue en el caso de que surjan problemas, pudiendo ser capaces de pasar de un procedimiento basado en estadísticas a otro basado en normas, o que soliciten la intervención de un operador humano antes de proseguir con sus actuaciones. Es preciso garantizar que el sistema se comportará de acuerdo con lo que se espera de él sin causar daños a los seres vivos ni al medio ambiente. El nivel de medidas de seguridad que requiere cada sistema depende de la magnitud del riesgo que plantee un sistema de IA, que a su vez depende de las capacidades del sistema.

La precisión está relacionada con la capacidad de un sistema de IA para realizar juicios correctos como, por ejemplo, clasificar correctamente la información en las categorías adecuadas, o con su capacidad para efectuar predicciones, tomar decisiones correctas basándose en los datos o modelos, etc. El sistema debe ser capaz de indicar la probabilidad de que se produzcan errores. El nivel de precisión es particularmente crucial en situaciones en las que un sistema IA afecte de manera directa a la vida humana.

Un sistema de IA fiable es aquel que funciona adecuadamente con un conjunto de información y en diversas situaciones. La reproducibilidad describe si un experimento con IA muestra el mismo comportamiento cuando se repite varias veces en las mismas condiciones, los archivos de replicación pueden ser útiles en este contexto[6].

---

6. *Directrices éticas para una IA fiable*. Grupo independiente de expertos de alto nivel sobre inteligencia artificial, creado por la Comisión Europea, 2018, páginas 20 y 21.

La propuesta de Reglamento de la Unión Europea sobre IA también se refiere al requisito de precisión, robustez y la seguridad de los sistemas de IA de alto riesgo[7]. Y es precisamente, por la exigencia de dicho requisito y al resto de ellos (como la transparencia, la supervisión humana, etc.) por lo que se les impone una serie de obligaciones a los proveedores de sistemas de IA de alto riesgo: como establecer un sistema de gestión de calidad que garantice el cumplimiento del Reglamento y documentarlo; elaboración de documentación técnica; someterse a un procedimiento de evaluación de conformidad tras el cual los proveedores redactarán una declaración UE de conformidad, que verifica que se cumple con todos los requisitos exigidos y procederán a colocar un "marcado CE" (marcado europeo), que indica que el producto en cuestión cumple con todos los requisitos de la legislación europea (algunos supuestos exigen que la evaluación de conformidad sea certificada por un tercero (organismos notificados); es decir, entidades que son independientes de las empresas cuyos productos verifican); registrar el sistema de IA en la base de datos de la UE, demostrarán, a solicitud de la autoridad nacional competente, que sus sistemas de IA de alto riesgo cumplen los requisitos establecidos en la propuesta de Reglamento, etc. También se contemplan medidas destinadas a fomentar la innovación, como los "*IA regulatory sandboxes*" ("areneros de prueba/ espacios controlados de prueba") que suponen la creación, por parte de los Estados, de espacios controlados para el desarrollo, prueba y aceptación de sistemas de IA innovadores[8].

3. GESTIÓN DE LA PRIVACIDAD Y DE LOS DATOS (PROTECCIÓN DE LA INTIMIDAD Y DE LOS DATOS)

La privacidad es un derecho fundamental que puede verse especialmente afectado por los sistemas de IA y guarda una estrecha relación con el principio de prevención del daño. Los sistemas de IA deben garantizar la protección de la intimidad y de los datos a lo largo de todo el ciclo de vida de un sistema. Esto incluye la información inicialmente facilitada por el usuario, así como la generada por el sistema. Es necesario, en este sentido, garantizar que la información recabada sobre ellos no se utilizará para discriminarlos de forma injusta o ilegal. La calidad de los datos es,

---

7. *vid.* artículo 15 y Capítulo 3, de la Propuesta de Reglamento de la Unión Europea sobre IA. Entre otras cuestiones, en dicho artículo se establece: "En las instrucciones de uso que acompañen a los sistemas de IA de alto riesgo se indicarán los niveles de precisión y los parámetros de precisión pertinentes". "La solidez de los sistemas de IA de alto riesgo puede lograrse mediante soluciones de redundancia técnica, tales como copias de seguridad o planes de prevención contra fallos".

8. *vid.* artículos 16 y ss. de la Propuesta de Reglamento de la Unión Europea sobre IA.

esencial, para lograr dicho objetivo, ya que cuando se recopilan datos, estos pueden contener sesgos sociales, imprecisiones y errores. Cualquier organización que maneje datos personales debe establecer protocolos que determinen quién puede acceder a los datos y en qué circunstancias; en todo caso, debe tratarse de personal debidamente cualificado[9].

Como exponíamos anteriormente, la protección de las personas físicas en relación con el tratamiento de datos personales es un derecho fundamental. La Carta de los Derechos Fundamentales de la Unión Europea [LCEur 2000, 3480] y el Tratado de Funcionamiento de la Unión Europea [RCL 2009, 2300] así lo establecen, al igual que en el ámbito nacional lo hace el artículo 18.4. de la Constitución Española [RCL 1978, 2836][10]. El derecho fundamental a la protección de datos está desarrollado en el marco de la Unión Europea en el Reglamento 619/2016 del Parlamento Europeo y del Consejo, de 27 de abril de 2016, relativo a la protección de las personas físicas en lo que respecta al tratamiento de datos personales y a la libre circulación de estos datos (RGPD) [LCEur 2016, 605][11] y se complementa, a nivel nacional, en la Ley Orgánica 3/2018, de 5 de diciembre, de Protección de Datos Personales y garantía de los derechos digitales (LOPDGDD) [RCL 2018, 1629] además de toda la normativa sectorial al respecto.

El Tribunal Constitucional señaló en su Sentencia 94/1998, de 4 de mayo [RTC 1998, 94], que nos encontramos ante un derecho fundamental a la protección de datos por el que se garantiza a la persona el control sobre sus datos, cualesquiera datos personales, y sobre su uso y destino, para evitar el tráfico ilícito de los mismos o lesivo para la dignidad y los derechos de los afectados; de esta forma, el derecho a la protección de datos se configura como una facultad del ciudadano para oponerse a que determinados datos personales sean usados para fines distintos a aquel que justificó su obtención. Por su parte, en la Sentencia del TC 292/2000, de 30 de noviembre [RTC 2000, 292], lo considera como un derecho autónomo e independiente que consiste en un poder de disposición y de control sobre los datos personales que faculta a la persona para decidir cuáles

9. *Directrices éticas para una IA fiable.* Grupo independiente de expertos de alto nivel sobre inteligencia artificial, Creado por la Comisión Europea, 2018, páginas 21 y 22.

10. *vid.* Art. 8.1. de la Carta de los Derechos Fundamentales de la Unión Europea [LCEur 2000, 3480] y art. 16.1. del Tratado de Funcionamiento de la Unión Europea [RCL 2009, 2300].

11. Y, en menor medida, por la Directiva (UE) 2016/680 del Parlamento Europeo y del Consejo, de 27 de abril de 2016, [LCEur 2016, 606] relativa a la protección de las personas físicas en lo que respecta al tratamiento de datos personales por parte de las autoridades competentes para fines de prevención, investigación, detección o enjuiciamiento de infracciones penales o de ejecución de sanciones penales y a la libre circulación de dichos datos y por la que se deroga la Decisión Marco 2008/977/JAI del Consejo.

de esos datos proporcionar a un tercero, sea el Estado o un particular, o cuáles puede este tercero recabar, y que también permite al individuo saber quién posee esos datos personales y para qué, pudiendo oponerse a esa posesión o uso[12].

En relación a lo anterior, el documento elaborado por la Agencia Española de Protección de Datos, sobre la Adecuación al RGPD [LCEur 2016, 605] de tratamientos que incorporan Inteligencia Artificial, establece:

"Si un componente IA realiza un tratamiento de datos personales, elabora perfiles sobre una persona física o si toma decisiones sobre la misma, tendrá que someterse al RGPD [LCEur 2016, 605]. En caso contrario, no será necesario. En muchos casos no es sencillo determinar si durante una etapa del ciclo de vida de un sistema basado en IA se tratan o no datos personales. Durante el ciclo de vida de una solución IA pueden haberse usado datos personales de alguna forma, por ejemplo, en la etapa de desarrollo. En ese caso, dicha etapa constituye un tratamiento y está sujeta al cumplimiento del RGPD [LCEur 2016, 605]. En etapas posteriores del ciclo de vida de la solución IA, por ejemplo, cuando se integra en un tratamiento, hay que evaluar si se tratan datos personales para determinar si el tratamiento está sujeto al cumplimiento del RGPD [LCEur 2016, 605], al menos con relación a la solución IA. Si se considera que no se tratan datos personales, por que estos se han eliminado o anonimizado, hay que demostrar que estos procesos han sido realmente efectivos y evaluar cuál es el riesgo de reidentificación. Si queremos descartar que se tratan datos personales en etapas posteriores de su ciclo de vida, por ejemplo, cuando se integra la solución IA en un tratamiento, y que, por tanto, este tratamiento no está sujeto al cumplimiento del RGPD [LCEur 2016, 605], hay que demostrar que la eliminación o anonimización de los datos personales es realmente efectiva y evaluar cuál es el posible riesgo de reidentificación que existe"[13].

En relación a lo anterior, hay quién se pregunta, por ejemplo, si un modelo predictivo (que no se refiere a un individuo concreto) que dice que el 80% de las personas que viven en el código postal 10017 pagan sus facturas con retraso debe ser sometido a la legislación de protección de datos[14].

---

12. *vid.* Preámbulo de la Ley Orgánica 3/2018, de Protección de Datos [RCL 2018, 1629].

13. *vid. Adecuación al RGPD de tratamientos que incorporan Inteligencia Artificial. Una introducción.* Febrero 2020, Agencia Española de Protección de Datos, p. 14.

14. *vid.* ZUIDERVEEN BORGESIUS, F. J.: "Strengthening legal protection against discrimination by algorithms and artificial intelligence", *The International Journal of Human Rights*, 24:10, 2020, pp. 1572-1593, DOI: 10.1080/13642987.2020.1743976. Este autor sostiene que la legislación de protección de datos tiene graves debilidades cuando

Partimos del art. 22 del RGPD [LCEur 2016, 605]:

"Artículo 22. Decisiones individuales automatizadas, incluida la elaboración de perfiles

1. Todo interesado tendrá derecho a no ser objeto de una decisión basada únicamente en el tratamiento automatizado, incluida la elaboración de perfiles, que produzca efectos jurídicos en él o le afecte significativamente de modo similar.

2. El apartado 1 no se aplicará si la decisión: a) es necesaria para la celebración o la ejecución de un contrato entre el interesado y un responsable del tratamiento; b) está autorizada por el Derecho de la Unión o de los Estados miembros que se aplique al responsable del tratamiento y que establezca asimismo medidas adecuadas para salvaguardar los derechos y libertades y los intereses legítimos del interesado, o c) se basa en el consentimiento explícito del interesado.

3. En los casos a que se refiere el apartado 2, letras a) y c), el responsable del tratamiento adoptará las medidas adecuadas para salvaguardar los derechos y libertades y los intereses legítimos del interesado, como mínimo el derecho a obtener intervención humana por parte del responsable, a expresar su punto de vista y a impugnar la decisión.

4. Las decisiones a que se refiere el apartado 2 no se basarán en las categorías especiales de datos personales contempladas en el artículo 9, apartado 1, salvo que se aplique el artículo 9, apartado 2, letra a) o g), y se hayan tomado medidas adecuadas para salvaguardar los derechos y libertades y los intereses legítimos del interesado".

El artículo 22 RGPD [LCEur 2016, 605] reconoce, por tanto, el derecho a no verse sometido a decisiones automatizadas, aunque, al mismo tiempo está estableciendo una regulación de un tratamiento de datos personales específico (apartados a, b y c). Esto es, está estableciendo unas bases jurídicas que legitiman que cuando se cumplan algunas de las excepciones recogidas en el apartado segundo (a, b y c) los ciudadanos podrán ser sometidos a decisiones individuales totalmente automatizadas. Esto a su vez exige que el responsable del tratamiento de datos, previamente al uso y recopilación de los datos personales, indique y establezca el concreto tratamiento que va a llevar a cabo y la finalidad del mismo (art. 5 RGPD [LCEur 2016, 605])[15].

---

se aplican a la Inteligencia Artificial y propone normas específicas de cada sector, en lugar de generales.

15. El artículo 5 del RGPD [LCEur 2016, 605] dispone: "Principios relativos al tratamiento 1. Los datos personales serán: a) tratados de manera lícita, leal y transparente

El RGPD [LCEur 2016, 605] parte, por tanto, de la desconfianza de decisiones que pueda adoptar una máquina sin intervención humana. Ahora bien, en el terreno de la práctica no se podrá siempre determinar que la decisión es totalmente automatizada y requerirá, en muchos casos, analizar el "grado de participación del humano" en la decisión. Todo ello, teniendo en cuenta que, hoy en día, el resultado que indica el algoritmo es utilizado como apoyo o soporte con el que el humano adopta, finalmente, una u otra decisión. Ello, claro está, puede llevar a una aplicación residual de este precepto. Se entiende que la participación humana ha de ser significativa, debiendo existir una participación real de la persona en la decisión que previamente ha arrojado el programa informático. Otro problema adicional es que los ciudadanos no lleguen ni siguiera a ser consciente de ello debido a que el responsable del tratamiento no considere que tal decisión es automatizada[16].

Por otra parte, el apartado 4 del artículo 22 RGPD [LCEur 2016, 605] realiza una previsión específica para los casos en los que el tratamiento totalmente automatizado utilice datos de categorías sensibles (art. 9 RGPD [LCEur 2016, 605]). En concreto:

1. Quedan prohibidos el tratamiento de datos personales que revelen el origen étnico o racial, las opiniones políticas, las convicciones

---

en relación con el interesado ('licitud, lealtad y transparencia'); b) recogidos con fines determinados, explícitos y legítimos, y no serán tratados ulteriormente de manera incompatible con dichos fines; de acuerdo con el artículo 89, apartado 1, el tratamiento ulterior de los datos personales con fines de archivo en interés público, fines de investigación científica e histórica o fines estadísticos no se considerará incompatible con los fines iniciales ('limitación de la finalidad'); c) adecuados, pertinentes y limitados a lo necesario en relación con los fines para los que son tratados ('minimización de datos'); d) exactos y, si fuera necesario, actualizados; se adoptarán todas las medidas razonables para que se supriman o rectifiquen sin dilación los datos personales que sean inexactos con respecto a los fines para los que se tratan ('exactitud'); e) mantenidos de forma que se permita la identificación de los interesados durante no más tiempo del necesario para los fines del tratamiento de los datos personales; los datos personales podrán conservarse durante períodos más largos siempre que se traten exclusivamente con fines de archivo en interés público, fines de investigación científica o histórica o fines estadísticos, de conformidad con el artículo 89, apartado 1, sin perjuicio de la aplicación de las medidas técnicas y organizativas apropiadas que impone el presente Reglamento a fin de proteger los derechos y libertades del interesado ('limitación del plazo de conservación'); f) tratados de tal manera que se garantice una seguridad adecuada de los datos personales, incluida la protección contra el tratamiento no autorizado o ilícito y contra su pérdida, destrucción o daño accidental, mediante la aplicación de medidas técnicas u organizativas apropiadas ('integridad y confidencialidad'). 2. El responsable del tratamiento será responsable del cumplimiento de lo dispuesto en el apartado 1 y capaz de demostrarlo ('responsabilidad proactiva')". Sobre esta materia, *vid.* PALMA ORTIGOSA, A.: "Decisiones automatizadas en el RGPD. El uso de algoritmos en el contexto de la protección de datos", *Revista General de Derecho Administrativo*, n.º 50, 2020, pp. 8 y ss.

16. Ibídem, pp. 8 y 9.

religiosas o filosóficas, o la afiliación sindical, y el tratamiento de datos genéticos, datos biométricos dirigidos a identificar de manera unívoca a una persona física, datos relativos a la salud o datos relativos a la vida sexual o las orientaciones sexuales de una persona física.

No obstante, el apartado especifica que el anterior apartado 1 no será aplicación cuando concurran algunas circunstancias que detalla (es decir, supuestos en los que sí se podrá llevar a cabo dicho tratamiento de datos de categorías sensibles).

El artículo 22.1 RGPD [LCEur 2016, 605] unido al artículo 9 del mismo RGPD [LCEur 2016, 605] significa que, en tales casos, solo se podrá llevar a cabo el tratamiento descrito en el art. 22.1. RGPD [LCEur 2016, 605] cuando los particulares afectados por la decisión hayan prestado su consentimiento explícito o, el tratamiento es necesario por razones de interés público esencial sobre la base del Derecho de la Unión o de los Estados miembros que debe ser proporcional al objetivo perseguido, respetar en lo esencial el derecho a la protección de datos y establecer medidas adecuadas y específicas para proteger los intereses y derechos fundamentales del interesado (arts. 9.2.a) y 9.2. g) RGPD [LCEur 2016, 605]).

Sobre la posibilidad de limitar el derecho a la protección de datos de carácter personal, incluso los derechos de acceso, rectificación y supresión, por razones justificadas de interés público, basadas en el propio RGPD [LCEur 2016, 605], nos remitimos al Capítulo VI.3., al analizar la Ley valenciana 22/2018 [LCV 2018, 384].

En todo caso, el tratamiento de datos que entrañe un alto riego para los derechos y libertades de las personas está sometido, en todo caso, a una evaluación de impacto que deberá realizarse antes de su tratamiento[17].

Una forma significativa de reducir los riesgos sobre el tratamiento de datos personales es la aplicación de la seudonimización (desde el diseño y por defecto) y, al tiempo, es un mecanismo que puede ayudar a los responsables y a los encargados del tratamiento a cumplir con sus obligaciones de protección de datos. Este concepto está relacionado con el diseño y la seguridad del tratamiento, con fines de archivo de datos en interés público, de investigación científica, histórica o fines estadísticos[18].

La seudonimización se define como: el tratamiento de datos personales de manera tal que ya no puedan atribuirse a un interesado sin utilizar

---

17. *vid*. art. 35 RGPD [LCEur 2016, 605].
18. *vid*. entre otros, Considerandos n.° 28, 78, 156, y artículos 6, 25, etc. RGPD [LCEur 2016, 605].

información adicional, siempre que dicha información adicional figure por separado y esté sujeta a medidas técnicas y organizativas destinadas a garantizar que los datos personales no se atribuyan a una persona física identificada o identificable[19].

La propuesta de Reglamento de la UE sobre IA contiene numerosas referencias a la protección de datos. Entre otros aspectos, se resalta que dicho Reglamento es coherente y está en consonancia con toda la legislación europea en materia de protección de datos, que el Supervisor Europeo de Protección de Datos actuará como la autoridad competente para la supervisión de instituciones, agencias y los organismos de la Unión cuando entren en el ámbito de aplicación de este Reglamento y que dicho Supervisor de Protección de Datos está facultado para imponer multas a los anteriores organismos[20].

---

19. *vid.* art. 4.5. RGPD [LCEur 2016, 605].
20. *vid.* Memorando explicativo 1.2 y 5.2.6., art. 29.6 y 72, entre otros, de la Propuesta de Reglamento de la UE sobre IA.

Capítulo III

Diversidad, no discriminación y equidad. Algoritmos y discriminación

1. DIVERSIDAD, NO DISCRIMINACIÓN Y EQUIDAD. AUSENCIA DE SESGOS INJUSTOS, ACCESIBILIDAD, DISEÑO UNIVERSAL Y PARTICIPACIÓN DE LOS INTERESADOS

1.1. INTRODUCCIÓN

Para hacer realidad una Inteligencia Artificial fiable, es necesario garantizar la inclusión y la diversidad a lo largo de todo el ciclo de vida de los sistemas de IA. Hay que tener en cuenta a todos los afectados y garantizar su participación en todo el proceso. Los sistemas de IA deben estar centrados en el usuario y diseñarse de un modo que permita que todas las personas utilicen los productos o servicios de IA con independencia de su edad, género, capacidades o características. Esta tecnología debe ser especialmente accesible para las personas con discapacidad. Los sistemas de IA deben tener en cuenta los principios del Diseño Universal para servir al mayor número de usuarios posibles, cumpliendo con la normativa de accesibilidad. Esto permitirá un acceso equitativo. Hay que dar participación a todas las partes que puedan verse afectadas por esta tecnología, garantizando, por ejemplo, la información, consulta y participación de los trabajadores a lo largo de todo el proceso de implantación de este tipo de sistemas en las organizaciones y, por supuesto, es necesario que no se produzcan sesgos injustos, que no se produzca una discriminación en el uso de esta tecnología[1].

---

1. *Directrices éticas para una IA fiable.* Grupo independiente de expertos de alto nivel sobre inteligencia artificial, creado por la Comisión Europea, 2018, p. 23.

1.2. EN CONCRETO, LA NECESIDAD DE EVITAR SESGOS INJUSTOS. EL PRINCIPIO DE IGUALDAD Y NO DISCRIMINACIÓN

Con anterioridad nos hemos referido al principio de no discriminación, como uno de los principios éticos en los sistemas de IA, recogido en los distintos instrumentos que formulan tales principios. Pero no solo es un principio ético sino también un principio jurídico, un mandato jurídico que va dirigido a cualquier persona, institución, empresa, máquina…, que está recogido en el componente escrito de las normas jurídicas, que es aplicable a cualquier ámbito y, por tanto, también es aplicable al ámbito de la IA.

La protección frente a la discriminación y, su prohibición, es abundante y se contiene en distintos textos legales.

En el ámbito europeo destaca el Convenio Europeo de Derechos Humanos [RCL 1979, 2421][2], la Carta de los Derechos Fundamentales de la UE [LCEur 2000, 3480][3], el Tratado de Funcionamiento de la Unión Europea [RCL 2009, 2300][4] y abundante Directivas de Igualdad que operan en ámbitos concretos (entre hombres y mujeres en el acceso al empleo o en el acceso a bienes y servicios, por el origen racial o étnico, en el empleo y la ocupación…)[5]. Todas estas Directivas comunitarias distinguen entre lo

---

2. *vid.* art. 14 Convenio Europeo de Derechos Humanos de 1950 [RCL 1979, 2421], dispone: "El goce de los derechos y libertades reconocidos en el presente Convenio ha de ser asegurado sin distinción alguna, especialmente por razones de sexo, raza, color, lengua, religión, opiniones políticas u otras, origen nacional o social, pertenencia a una minoría nacional, fortuna, nacimiento o cualquier otra situación".

3. *vid.* art. 21 de la Carta Europea de Derechos Fundamentales [LCEur 2000, 3480] recoge: "No discriminación 1. Se prohíbe toda discriminación, y en particular la ejercida por razón de sexo, raza, color, orígenes étnicos o sociales, características genéticas, lengua, religión o convicciones, opiniones políticas o de cualquier otro tipo, pertenencia a una minoría nacional, patrimonio, nacimiento, discapacidad, edad u orientación sexual. 2. Se prohíbe toda discriminación por razón de nacionalidad en el ámbito de aplicación del Tratado constitutivo de la Comunidad Europea y del Tratado de la Unión Europea y sin perjuicio de las disposiciones particulares de dichos Tratados".

4. *vid.* por ejemplo, arts. 8, 10, 153, 157 del Tratado de Funcionamiento de la U.E. [RCL 2009, 2300].

5. *vid.* Directiva del Consejo 2004/113/CE, de 13 de diciembre de 2004, por la que se aplica el principio de igualdad de trato entre hombres y mujeres al acceso a bienes y servicios y su suministro [LCEur 2004, 3568], Directiva 2006/54/CE del Parlamento Europeo y del Consejo, de 5 de julio de 2006, relativa a la aplicación del principio de igualdad de oportunidades e igualdad de trato entre hombres y mujeres en asuntos de empleo y ocupación [LCEur 2006, 1696], Directiva 2000/43/CE del Consejo, de 29 de junio de 2000, relativa a la aplicación del principio de igual de trato de las personas independientemente de su origen racial o étnico [LCEur 2000, 1850], Directiva 2000/78/CE del Consejo de 27 de noviembre de 2000 relativa al establecimiento de un marco general para la igualdad de trato en el empleo y la ocupación [LCEur 2000, 3383].

que se considera una discriminación directa y una discriminación indirecta. De tal forma que, si se infringe esta prohibición, de no discriminación (directa o indirecta) se está infringiendo el Derecho Comunitario y, al tiempo, el Derecho interno de los países miembros de la Unión Europea al tener este Derecho efecto directo e integrarse, directamente, como Derecho interno de los Estados miembros.

En el ámbito nacional, el artículo 14 de la Constitución Española de 1978 [RCL 1978, 2836] prohíbe cualquier tipo de discriminación por razón de nacimiento, raza, sexo, religión, opinión o cualquier otra condición o circunstancia personal o social. Por su parte, y en el ámbito nacional, un concepto de discriminación, directa e indirecta, que guarda relación directa con lo anterior, lo encontramos en la Ley 62/2003, de 30 de diciembre, de medidas fiscales, administrativas y del orden social [RCL 2003, 3093][6]. Esta Ley 62/2003 [RCL 2003, 3093], regula la igualdad de trato y no discriminación por origen racial o étnico en los artículos 29 a 32 (en transposición de la Directiva 2000/43/CE de 29 de junio de 2000, relativa a la aplicación del principio de igualdad de trato de las personas independientemente de su origen racial o étnico [LCEur 2000, 1850][7]) y, también, regula la igualdad de trato y no discriminación en el trabajo, por ningún motivo, incluido los motivos religiosos o de convicciones, en los artículos 34 a 43 de la Ley 62/2003 [RCL 2003, 3093] (en transposición de la Directiva 2000/78/CE [LCEur 2000, 3383]).

---

6. *vid.* artículo 28 de la Ley 62/2003 [RCL 2003, 3093]. En concreto, esta norma define:
    "c) Discriminación indirecta: cuando una disposición legal o reglamentaria, una cláusula convencional o contractual, un pacto individual o una decisión unilateral, aparentemente neutros, puedan ocasionar una desventaja particular a una persona respecto de otras por razón de origen racial o étnico, religión o convicciones, discapacidad, edad u orientación sexual, siempre que objetivamente no respondan a una finalidad legítima y que los medios para la consecución de esta finalidad no sean adecuados y necesarios.
    d) Acoso: toda conducta no deseada relacionada con el origen racial o étnico, la religión o convicciones, la discapacidad, la edad o la orientación sexual de una persona, que tenga como objetivo o consecuencia atentar contra su dignidad y crear un entorno intimidatorio, humillante u ofensivo.
    2. Cualquier orden de discriminar a las personas por razón de origen racial o étnico, religión o convicciones, discapacidad, edad u orientación sexual se considerará en todo caso discriminación.
    El acoso por razón de origen racial o étnico, religión o convicciones, discapacidad, edad u orientación sexual se consideran en todo caso actos discriminatorios".
7. Existe una propuesta de Directiva del Consejo por la que se aplica el principio de igualdad de trato entre las personas independientemente de su religión o convicciones, discapacidad, edad u orientación sexual (de 2 de julio de 2008 COM (2008) 426 final). *vid.* Posición del Parlamento Europeo, de 2 de abril de 2009, sobre la propuesta de Directiva del Consejo por la que se aplica el principio de igualdad de trato entre las personas independientemente de su religión o convicciones, discapacidad, edad u orientación sexual (DO UE, C 137, p. 68, de 27 de mayo de 2010).

1.3. ALGORITMOS Y DISCRIMINACIÓN

A) Conceptos previos

Partimos de los siguientes conceptos[8]:

Discriminación algorítmica[9]

La discriminación algorítmica se refiere al tratamiento desigual que un componente IA da a una persona X con respecto a otra persona Y como consecuencia de un atributo particular de X. Esta circunstancia no implica, necesariamente, que la discriminación sea negativa o desventajosa.

Discriminación grupal

Esta forma de discriminación se refiere a aquella discriminación que afecta a una persona a causa de su pertenencia a un grupo socialmente identificable o protegido.

Discriminación estadística

La discriminación estadística se refiere a la discriminación grupal basada en un hecho que es estadísticamente relevante.

Sesgo algorítmico[10]

---

8. *vid.* Definiciones, en *Requisitos para Auditorías de Tratamientos que incluyan IA*, enero 2021, AEPD.

9. Las definiciones de discriminación y sesgo se recogen de la guía titulada: *Requisitos para Auditorías de Tratamientos que incluyan IA*, enero 2021, AEPD y se basan, principalmente, en el trabajo realizado por BAROCAS, S. y SELBST, A. D.: "Big Data's Disparate Impact", *California Law Review*, 2016, http://dx.doi.org/10.2139/ssrn.2477899; BAEZA-YATES, R.: "Bias on the web", *Communications of the ACM*, Volume 61, Issue 6 June 2018, pp. 54–61, https://doi.org/10.1145/3209581; CASTILLO, C.:. "Algorithmic Discrimination. Assessing the impact of machine intelligence on human behaviour: an interdisciplinary endeavor". *Proceedings of HUMAINT Workshop*. 2018, https://arxiv.org/pdf/1806.03192.pdf; COWGILL, B.: "Bias and Productivity in Humans and Machines", (August 6, 2019). Upjohn Institute Working Paper, 2019, pp. 19-309, *Columbia Business School Research Paper Forthcoming*, http://dx.doi.org/10.2139/ssrn.3433737; HAJIAN, S., BONCHI, F., y CASTILLO, C.: "Algorithmic bias: From discrimination on discovery to fairness-aware data mining", *Proceedings of the 22nd ACM SIGKDD international conference on knowledge discovery and data mining*: 2016, pp. 2125-2126; LIPPERT-RASMUSSEN, K.: *Born Free and Equal? A Philosophical Inquiry Into the Nature of Discrimination*, Oxford: Oxford University Press, 2013; PEDRESCHI, D. & RUGGIERI, S. & TURINI, F: "Discrimination-aware data mining", *Proceedings of the ACM SIGKDD International Conference on Knowledge Discovery and Data Mining*. 2008, pp. 560-568. También en su interpretación para trabajos previos publicados por Eticas Research and Consulting (*Guía de auditoria algorítmica*, enero 2021).

10. Las definiciones de discriminación y sesgo presentadas en la guía *Requisitos para Auditorías de Tratamientos que incluyan IA*, enero 2021, AEPD, que se basan, principalmente,

El sesgo algorítmico se produce en aquellos casos en los que un determinado componente IA produce distintos resultados con relación a los sujetos en función de la pertenencia de este a un colectivo concreto (explícito o *ad-hoc*) evidenciando un prejuicio subyacente a dicho colectivo.

Este comportamiento se puede derivar de distintas fuentes: sesgo en los datos de entrenamiento, en la metodología de entrenamiento (p. ej. por una supervisión que incluye el sesgo), por un modelo demasiado simplista (*underfitting*), por una aplicación del componente IA en un tratamiento o un contexto que no es adecuado, etc.

En relación al sesgo, el documento en el que se recogen las directrices éticas para una IA fiable, en el marco de la Unión Europea, establece:

"Un sesgo es una inclinación que favorece o perjudica a una persona, objeto o posición. En los sistemas de IA pueden surgir numerosos tipos de sesgos. Por ejemplo, en los sistemas de IA impulsados por datos, como los creados a través del aprendizaje automático, los sesgos en la recogida de datos y la formación pueden dar lugar a sesgos en el sistema de IA. En los sistemas de IA lógicos, como los basados en normas, pueden surgir sesgos como consecuencia de la visión que puede tener un ingeniero del conocimiento acerca de las reglas aplicables en un entorno específico. También pueden aparecer sesgos debido a la formación y adaptación en línea a través de la interacción, o como consecuencia de la personalización en aquellos casos en que se presentan a los usuarios recomendaciones o información adaptadas a sus gustos. Los sesgos no tienen por qué estar relacionados necesariamente con inclinaciones humanas o con la recogida de datos por parte de personas. Pueden surgir, por ejemplo, en los limitados contextos en los que se utiliza un sistema, en cuyo caso no existe la posibilidad de generalizarlo a otros contextos. Los sesgos pueden ser positivos o negativos, intencionados o no. En algunos casos, pueden dar lugar a resultados discriminatorios o injustos, lo que en este documento se denomina 'sesgo injusto' "[11].

---

en el trabajo realizado por BAROCAS y SELBST: op. cit., p. 671; BAEZA-YATES: op. cit., pp. 54-61; SALGADO, M. y CASTILLO, J.: "Differential status evaluations and racial bias in the Chilean segregated school system", *Sociological Forum*, 33, 2, 2018, pp. 354-37; COWGILL, B., DELL'ACQUA, F., DENG, S., HSU, D., VERMA, N. and CHAINTREAU, A.: "Biased Programmers? Or Biased Data? A Field Experiment in Operationalizing AI Ethics", en *Proceedings of the 21st ACM Conference on Economics and Computation*, 2020, pp. 679-681); SWEENEY, L.: "Discrimination in online ad delivery", 2013, arXiv preprint arXiv: 1301.6822.

11. *Directrices éticas para una IA fiable*. Grupo independiente de expertos de alto nivel sobre inteligencia artificial, creado por la Comisión Europea, 2018, pp. 48 y 49.

En relación a la necesidad de evitar sesgos injustos, se dice, que los sesgos identificables y discriminatorios deberían eliminarse en la recopilación de la información y que los propios métodos de desarrollo de los sistemas de IA (por ejemplo, la programación de algoritmos) también pueden presentar sesgos injustos. Esto se podría combatir mediante procesos de supervisión que permitan analizar y supervisar las decisiones del sistema de un modo claro y transparente[12].

La Estrategia Española de I+D+I en Inteligencia Artificial indica, en relación al sesgo, que las tecnologías y aplicaciones de IA deben evitar el sesgo negativo y los prejuicios de los que adolece nuestra sociedad, como el género, la raza u otras formas de discriminación[13].

A los anteriores conceptos, unimos tres más[14]:

Datos personales: toda información sobre una persona física identificada o identificable ("el interesado"); se considerará persona física identificable toda persona cuya identidad pueda determinarse, directa o indirectamente, en particular mediante un identificador, como por ejemplo un nombre, un número de identificación, datos de localización, un identificador en línea o uno o varios elementos propios de la identidad física, fisiológica, genética, psíquica, económica, cultural o social de dicha persona;

Tratamiento: cualquier operación o conjunto de operaciones realizadas sobre datos personales o conjuntos de datos personales, ya sea por procedimientos automatizados o no, como la recogida, registro, organización, estructuración, conservación, adaptación o modificación, extracción, consulta, utilización, comunicación por transmisión, difusión o cualquier otra forma de habilitación de acceso, cotejo o interconexión, limitación, supresión o destrucción;

Elaboración de perfiles (perfilado): toda forma de tratamiento automatizado de datos personales consistente en utilizar datos personales para evaluar determinados aspectos personales de una persona física, en particular para analizar o predecir aspectos relativos al rendimiento profesional, situación económica, salud, preferencias personales, intereses,

---

12. *Directrices éticas para una IA fiable*. Grupo independiente de expertos de alto nivel sobre inteligencia artificial, creado por la Comisión Europea, 2018, p. 23.

13. *Estrategia española de I+D+I en Inteligencia Artificial*, Ministerio de Ciencia, Innovación y Universidades, 2019, *vid*. Prioridad n.º 6.

14. *vid*. artículo 4 del Reglamento (UE) 2016/679 del Parlamento Europeo y del Consejo, de 27 de abril de 2016, relativo a la protección de las personas físicas en lo que respecta al tratamiento de datos personales y a la libre circulación de estos datos y por el que se deroga la Directiva 95/46/CE [LCEur 1995/2977] (Reglamento general de protección de datos), RGPD [LCEur 2016, 605].

fiabilidad, comportamiento, ubicación o movimientos de dicha persona física.

La elaboración de perfiles y la toma de una decisión sobre una persona física son tratamientos según el Reglamento (Considerandos 24 y 72 del RGPD [LCEur 2016, 605]) y, en consecuencia, están sometidos a dicha norma.

B) Diseño de algoritmos, elaboración de perfiles, algoritmos opacos, el *"webling"* y los "valores incrustados"

En relación a la discriminación hay que tener en cuenta el diseño de los algoritmos. Diseños que como se ha denunciado, más de una vez, contienen casos de racismo, sexismo y otras formas de discriminación[15]. Todas estas formas de discriminación están vedadas por el ordenamiento jurídico. El aprendizaje automático depende de los datos que se han recopilado de la sociedad, en la medida en que la sociedad contiene desigualdad, exclusión u otros rastros de discriminación, también lo harán los datos[16]. El aprendizaje automatizado reproducirá patrones discriminatorios en el conjunto de datos; como consecuencia, las decisiones sesgadas se presentan como el resultado de un algoritmo, presuntamente, objetivo y, en consecuencia, la confianza irreflexiva en la minería de datos puede negar a los miembros de grupos vulnerables la participación plena en la sociedad. Las técnicas de elaboración de perfiles son un subconjunto específico de decisiones automatizadas[17]. Por lo tanto, nos encontramos ante una

---

15. *vid.* por ejemplo, PEREZ, S.: "Microsoft silences its new A.I. bot Tay, after Twitter users teach it racism", en *Tech Crunch*, 24 March 2016, https://techcrunch.com/2016/03/24/microsoft-silences-its-new-a-i-bot-tay-after-twitter-users-teach-it-racism/; PEARSON, J.: "It's Too Late – We've Already Taught AI to Be Racist and Sexist", en *Motherboard*, 25 May 2016 https://motherboard.vice.com/en_us/article/weve-already-taught-artificial-intelligence-to-be-racist-sexist; LEVIN, S.: "A beauty contest was judged by AI and the robots didn't like dark skin", *The Guardian* (London, 8 September 2016) https://www.theguardian.com/technology/2016/sep/08/artificial-intelligence-beauty-contest-doesnt-like-black-people; NOBLE, S. U.: *Algorithms of oppression: How search engines reinforce racism*, New York University Press. 2018. Sobre los riesgos de discriminación por el uso de algoritmos, *vid.* ORWAT, C.: *Risks of discrimination through the use of algorithms*, Federal Anti-Discrimination Agency (Germany), 2020.

16. *vid.* CALISKAN, A.; BRYSON, J. J.; NARAYANAN, A.: "Semantics derived automatically from language corpora contain human-like biases", *Science*, 14 Apr 2017, Vol. 356; DOI: 10.1126/science.aal4230, pp. 183-186.

17. Conviene recordar en este punto, la prohibición de elaboración de perfiles, a no ser que conste el consentimiento expreso, que contiene el artículo 22 del Reglamento comunitario Reglamento (UE) 2016/679 del Parlamento Europeo y del Consejo, de 27 de abril de 2016, relativo a la protección de las personas físicas en lo que respecta al tratamiento de datos personales y a la libre circulación de estos datos y por el que se

discriminación invisible pues el algoritmo no es neutral al procederse a la elaboración de perfiles de los usuarios dando incluso a los denominados "algoritmos opacos"[18]. Esta elaboración de perfiles menoscaba los intereses económicos del usuario al mermar su capacidad de decisión y de elección, por ejemplo, en la contratación de un préstamo o de un seguro. Estas prácticas se conocen con el nombre de "webling" que es la discriminación que se hace a partir del comportamiento online del usuario de internet y con ello se segmenta la población, dicha segmentación puede vulnerar la protección de datos sensibles y puede implicar decisiones injustas[19], como en los casos y ejemplos que expondremos en este Capítulo, apartado 2. Por otra parte, hay que tener presente en el diseño de los algoritmos lo que se denomina "valores incrustados"[20]. Estos valores se usan ampliamente en las elecciones de diseño tecnológico realizadas por los ingenieros e informáticos, por tal motivo el algoritmo puede terminar teniendo el efecto de promover o priorizar ciertos valores sociales sobre otros o dar ventajas o desventajas a algunos grupos sociales sobre otros.

Por su parte, el solo hecho de traducir una ley en una regla para un sistema informático enmascara una serie de decisiones subjetivas y discutibles sobre el significado y el alcance de la norma. Es decir, los algoritmos, al estar programados por personas, siempre tienen un fuerte componente ideológico que habrá que vigilar y auditar. En fin, para combatir la discriminación y manipulación algorítmica es necesario la auditoría de los algoritmos, donde se incluye los conceptos de "responsabilidad algorítmica" y del "derecho a la explicación"; es decir, que exista transparencia y accesibilidad del código[21]. En resumen, las referencias a la toma de decisiones autónomas por parte de los sistemas de Inteligencia Artificial no pueden eximir a los creadores, propietarios y gerentes de estos sistemas de la responsabilidad por violaciones de derechos humanos, del principio de no discriminación y del resto de normas jurídicas.

---

deroga la Directiva 95/46/CE (Reglamento general de protección de datos) [LCEur 2016, 605]. En este Reglamento se define "elaboración de perfiles" como "toda forma de tratamiento automatizado de datos personales consistente en utilizar datos personales para evaluar determinados aspectos personales de una persona física, en particular para analizar o predecir aspectos relativos al rendimiento profesional, situación económica, salud, preferencias personales, intereses, fiabilidad, comportamiento, ubicación o movimientos de dicha persona física".

18. *vid.* NAVAS NAVARRO, S.: "Derecho e inteligencia artificial desde el diseño. Aproximaciones", en NAVAS NAVARRO, S.: *Inteligencia artificial. Tecnología, Derecho*, Tirant lo Blanch, 2017, pp. 48 y ss.

19. Ibídem.

20. *vid.* SURDEN, H.: "Values Embedded in Legal Artificial Intelligence", en *University of Colorado Law Legal Studies Research Paper*, No. 17, 15 March 2017.

21. *vid.* GOODMAN, B., FLAXMAN, S.: "European Union regulations on algorithmic decision-making and a 'right to explanation'", 2016, arXiv: 1606.08813 [stat.ML].

C) ¿Por qué discriminan los algoritmos y cómo discriminan?

Como señalábamos anteriormente, puede ocurrir que la persona que programa o diseña el algoritmo refleje sus prejuicios o sesgos en el mismo algoritmo. Los algoritmos son "entrenados" con muestras de datos, y la calidad y diversidad de estos datos es una de las claves para entender cómo se produce la discriminación algorítmica. Puede darse el caso de que la muestra sobre la que se entrena el algoritmo sea poco representativa y refleje un grupo mayoritario o dominante[22]. La discriminación algorítmica puede ser directa o indirecta.

La discriminación algorítmica directa se produce cuando se introducen en el algoritmo los datos relativos a la pertenencia a un grupo desfavorecido y a dicha pertenencia se asocia un valor negativo o cuando se infiera la pertenencia de una persona, a un grupo desfavorecido, de otros datos a los que se atribuya un valor negativo. Los diseñadores del algoritmo pueden articular dichas inferencias de manera consciente o inconsciente pero también es posible que el algoritmo las desarrolle una vez que se ponga en funcionamiento[23].

La discriminación indirecta, por su parte, requiere que se acredite la existencia de una disposición, práctica o criterio aparentemente neutros que produzcan efectos más perjudiciales para las personas pertenecientes al grupo protegido que a las no pertenecientes a dicho grupo. En el caso concreto, de la discriminación algorítmica, la disposición, práctica o criterio, aparentemente neutro, puede ser la variable específica introducida en el sistema que, por el valor que le otorga este, genera un resultado discriminatorio para el grupo desfavorecido, o bien el algoritmo generalmente considerado[24].

También sería un supuesto de discriminación algorítmica (directa o indirecta) la discriminación por asociación; esto es, aquellos supuestos en los que el algoritmo no seleccione a las personas por su pertenencia a un grupo desfavorecido, sino por su relación con personas del grupo[25].

---

22. https://fra.europa.eu/sites/default/files/fra_uploads/fra-2019-data-quality-and-ai_en.pdf; https://fra.europa.eu/sites/default/files/fra_uploads/fra-2018-focus-big-data_en.pdf.

23. *vid.* SORIANO ARNANZ, A.: "Decisiones automatizadas y discriminación: aproximación y propuestas generales", *Revista general de Derecho Administrativo*, IUSTEL, n.º 56, 2021, pp. 15 y 16. *vid.* También, SORIANO ARNANZ, A.: *Data protection for the prevention of algorithmic discrimination*, Aranzadi, 2021.

24. *vid.* SORIANO ARNANZ, A.: "Decisiones automatizadas y discriminación: aproximación y propuestas generales", op. cit., p. 19.

25. En relación a esto, Alba SORIANO pone el ejemplo del sistema empleado por Facebook para excluir del acceso a publicidad sobre venta y alquiler de inmuebles, y otros

Por último, haremos referencia a la discriminación estadística. Ésta se refiere a la discriminación grupal basada en un hecho que es estadísticamente relevante. Esto puede darse, por ejemplo, en el caso de un componente dedicado a la predicción que utiliza datos sobre probabilidades que proceden del mundo real (y que, por tanto, al reflejar el resultado de decisiones previas, son estadísticamente relevantes), pero cuyo uso da lugar a un tratamiento desfavorable hacia cierto grupo o colectivo social vulnerable.

D) ¿Cómo se puede probar la discriminación algorítmica?

Siguiendo a SORIANO ARNANZ, si se trata de un supuesto de discriminación algorítmica directa, en los que la pertenencia al grupo explícitamente incluida determine de manera automática un resultado negativo, serán relativamente fáciles de probar incluso sin acceder al contenido del algoritmo. Sin embargo, en aquellos casos en los que se produce un caso de discriminación algorítmica directa que no afecta de manera evidente a todas las personas pertenecientes al grupo protegido, será mucho más complejo y solo se podrá realizar accediendo al contenido del algoritmo, esto es, accediendo al código fuente. En el caso de la discriminación algorítmica indirecta, muchas veces será necesario, incluso, tener acceso al sistema, será el sistema en su totalidad el que deba ser considerado como disposición, práctica o criterio aparentemente neutral que genera resultados discriminatorios. Tanto la discriminación directa como la indirecta requieren la aportación de un elemento de comparación, siendo en este aspecto importante la aportación de datos estadísticos[26].

E) ¿Es necesario recopilar datos sensibles para no discriminar? ¿Es necesario enseñar a los sistemas automatizados a no discriminar utilizando datos sensibles?

Son varios los autores que, aunque parezca paradójico, entienden que la protección de los datos de carácter personal puede ser contraproducente para la protección de la igualdad y la no discriminación. Entienden que el uso de datos personales confidenciales puede ser necesario para evitar la discriminación en los modelos de decisión basados en datos. Si

---

productos, a personas relacionadas con determinados grupos raciales; *vid.* SORIANO ARNANZ, A.: "Decisiones automatizadas y discriminación: aproximación y propuestas generales", op. cit., pp. 26 y 27.

26. *vid.* SORIANO ARNANZ, A.: "Decisiones automatizadas y discriminación: aproximación y propuestas generales", op. cit., pp. 14 y ss.

se prohíbe la utilización de determinadas categorías de datos, como la religión, la raza, o el sexo, en el procesamiento de datos, para la toma de decisiones, puede exacerbarse la discriminación al hacer que los sesgos sean más difíciles de detectar; siendo mucho más complicado de determinar si el algoritmo infiere las categorías protegidas de otros datos. De esta forma, si se autorizase que los algoritmos empleasen categorías sospechosas, datos sensibles, en el procesamiento, aunque solo como mecanismo de control, se podría determinar hasta qué punto dichas categorías condicionan el resultado del algoritmo. El problema, claro está, es que esto choca con la privacidad, con el artículo 16.2. C.E. [RCL 1978, 2836] y con el derecho a la protección de datos[27].

En este sentido, hay autores que sostienen que asegurar que la toma de decisiones basada en datos no sea discriminatoria y restringir la recopilación y el almacenamiento general de datos privados al mínimo necesario es contradictorio, desde la perspectiva de la informática. Entendiendo, claro está, que una vez que el modelo está listo, el dato sensible (por ejemplo, la raza) no debería ser necesario como una variable de entrada para la toma de decisiones[28].

F) ¿Pueden los algoritmos detectar la discriminación?

Anteriormente hemos expuesto como los algoritmos pueden discriminar, pero también es posible que los algoritmos sean grandes aliados para luchar contra la discriminación.

Realmente, es tentador pensar que la toma de decisiones humanas es transparente y no discriminatoria pero la realidad de las normas jurídicas de las que nos hemos dotado para luchar contra la discriminación, y las sentencias judiciales, evidencian que los humanos podemos discriminar en la toma de decisiones y, de hecho, lo hacemos; no siendo siempre fácil poder detectar el sesgo humano en procesos de decisión. Por otra parte, la discriminación algorítmica, como hemos expuesto anteriormente, puede

---

27. *vid.* SORIANO ARNANZ, A.: "Decisiones automatizadas y discriminación: aproximación y propuestas generales", op. cit., p. 38; ŽLIOBAITĖ, I., CUSTERS, B.: "Using sensitive personal data may be necessary for avoiding discrimination in data-driven decision models". *Artificial Intelligence Law,* 24, 2016, pp. 183, 201, https://doi.org/10.1007/s10506-016-9182-5; WILLIAMS, B. A., et al.: "How Algorithms Discriminate Based on Data They Lack: Challenges, Solutions, and Policy Implications", *Journal of Information Policy,* vol. 8, 2018, pp. 78–115. JSTOR, www.jstor.org/stable/10.5325/jinfopoli.8.2018.0078; DHALIWAL, H. K.: "Algorithmic Bias and Its Problem, Solution, and Implications", May 2020, https://commons.marymount.edu/magnificat/algorithmic-bias-and-its-problem-solution-and-implications/.
28. *vid.* ŽLIOBAITĖ, I., CUSTERS, B.: op. cit.

producirse por el hecho de que la persona que programa o diseña el algoritmo refleje sus prejuicios o sesgos en el mismo algoritmo.

Es posible utilizar algoritmos para detectar la discriminación, al igual que para luchar contra el fraude, el discurso de odio, la apología del terrorismo, la violencia de género, el contenido extremista, la explotación infantil, la incitación a la violencia... Los algoritmos también pueden ser una fuerza del bien social. De hecho, se utilizan para el filtrado de contenido y procesos de eliminación de contenido[29]. Las normas (no jurídicas) de Twitter y Facebook, incluyen la cancelación de perfiles y la supresión de mensajes mediante la utilización de órdenes de eliminación de contenidos en Lumen[30]. Se trata de una eliminación de contenido en las plataformas de redes sociales que se realiza a través de procesos semiautomatizados o automatizados. Los procedimientos de certificación, evaluación de impacto y auditoría de algoritmos pueden ser un gran instrumento para introducir este tipo de algoritmos "entrenados" para detectar discriminación[31].

G) ¿Cómo se puede avanzar hacia el cumplimiento de los derechos fundamentales (por ejemplo, la igualdad y la no discriminación) en el desarrollo y uso de algoritmos?

La Agencia Europea de Derechos Fundamentales expone, a modo de ejemplo, cómo se puede avanzar hacia el cumplimiento de los derechos fundamentales en el desarrollo y uso de los algoritmos[32]:

Ser lo más transparente posible: abrir al escrutinio cómo se construyeron los algoritmos apoya el desarrollo posterior de estas herramientas y permite que otros detecten y, por lo tanto, rectifiquen cualquier aplicación errónea.

Realización de evaluaciones de impacto sobre los derechos fundamentales: para identificar posibles sesgos y abusos en la aplicación y los

---

29. *vid.* URBAN, J.; KARAGANIS, J. y SCHOFIELD, B.: "Notice and Takedown in Everyday Practice", en *UC Berkeley Public Law Research Paper*, 2016.

30. Lumen es un proyecto del Berkman Center for Internet & Society de la Universidad de Harvard que ofrece información sobre el panorama mundial de las solicitudes de retirada de contenido en Internet. Un posible problema que puede plantear lo anterior es la censura de ciertos contenidos sin intervención judicial.

31. *vid.* TISCHBIREK, A.: "Artificial intelligence and discrimination: Discriminating against discriminatory systems", en *Regulating Artificial Intelligence*, Springer, 2020, pp. 103-121.

32. *BigData: Discrimination in data-supported decision making.* Documento de la Agencia Europea de Derechos Fundamentales, 2018.

resultados de los algoritmos. Estos incluyen, entre otros, una evaluación del potencial de discriminación en relación con diferentes motivos, como el género, la edad, el origen étnico, la religión y la orientación sexual o política. Al mismo tiempo, las evaluaciones de impacto podrían evaluar el posible sesgo de discriminación al utilizar "información indirecta", como direcciones, con respecto a motivos protegidos en el ámbito de la discriminación.

Comprobación de la calidad de los datos: dada la cantidad de datos generados y utilizados, sigue siendo un desafío evaluar la calidad de todos los datos recopilados y utilizados para crear algoritmos. Sin embargo, es esencial recopilar metadatos (es decir, información sobre los datos) y realizar evaluaciones de calidad de la exactitud y generalización de los datos.

Asegurarse de que la forma en que se construyó y opera el algoritmo se pueda explicar de manera significativa: esto ayudaría a facilitar el acceso a los recursos para las personas que desafían las decisiones basadas en datos y también se relaciona con el principio de transparencia. El desafío de comprender el trasfondo matemático de un método estadístico o un algoritmo no impide una descripción general del proceso y/o la justificación detrás de los cálculos que alimentan la toma de decisiones, en particular, qué datos se utilizaron para crear el algoritmo.

2. VISIÓN PRÁCTICA. EJEMPLOS DE DISCRIMINACIÓN ALGORÍTMICA

2.1. RECONOCIMIENTO FACIAL

El reconocimiento facial es un método de identificación biométrica. Es una tecnología capaz de identificar a un sujeto a través de una imagen, video o cualquier elemento audiovisual de su rostro.

Un estudio[33], del centro de investigación MIT Media Lab demostró cómo el sistema de reconocimiento facial incurre en sesgo y se produce una discriminación algorítmica de género y de raza. El estudio puso a prueba tres softwares de reconocimiento distintos: el de Microsoft, el de IBM y el de Face++ de Megvii (usado en China). En el caso de fotografías de hombres de raza blanca el margen de error fue del 1%, en el caso de las mujeres de raza blanca el margen de error aumentaba al 7% y cuando se trataba de hombres de piel más oscura la tasa de error aumentaba al 12% y si se trataba de mujeres de piel más oscura el sistema fallaba en un 35%.

---

33. https://www.media.mit.edu/projects/gender-shades/overview/.

El problema radica en la mala calidad de los datos aportados al sistema. A mayor número de fotos de un determinado género y raza menor probabilidad habrá de incurrir en error. Si el número de fotografías aportadas para el aprendizaje automático es escaso mayor porcentaje de error. Por dicho motivo, por ejemplo, los hombres afroamericanos, en EEUU, en los sistemas de reconocimiento facial con fines policiales de persecución de delitos, tienen más posibilidades de ser reconocidos como delincuentes, debido a las tasas de detención desproporcionadamente altas y, por tanto, del alto número de fotografías que tiene el sistema.

Una decisión de primera instancia del Tribunal Divisional de Cardiff en 2019 desestimó una reclamación relativa a la legalidad del uso del sistema de reconocimiento facial. El Tribunal de Apelación anuló esa decisión[34]. Se encontró que el programa de reconocimiento facial utilizado por la policía era ilegal. El Tribunal de Apelación dictaminó que "actualmente se deja demasiada discreción a los agentes de policía" y no está claro que existan criterios para determinar dónde [la tecnología] se puede implementar". El tribunal también sostuvo que la policía no investigó suficientemente si el software en uso mostraba prejuicios de raza o género[35].

Según R. DE ASÍS, "A finales de 2018, la Unión de Libertades Civiles de Nueva York, reveló que, en 2017, el Software de Evaluación de Clasificación de Riesgos (RCA) que utilizaba desde 2013 el Servicio de Inmigración y Control de Aduanas de los Estados Unidos para ayudar a decidir, en procesos de deportación, si un inmigrante debía ser detenido o si podía ser puesto en libertad bajo fianza hasta el momento de la decisión definitiva, había sido manipulado para favorecer las detenciones"[36].

En España, setenta académicos, profesionales y activistas de distintos ámbitos, reclaman paralizar las herramientas de reconocimiento facial hasta que se regulen legalmente[37]. Mercadona[38] y RENFE[39], por ejemplo, han empezado a utilizar algún sistema de reconocimiento facial.

---

34. *UK, Court of Appeal, R (Bridges) v. CC South Wales*, [2020] EWCA Civ 1058, 11 August 2020.

35. Ars Technica, *"Police use of facial recognition violates human rights, UK court rules"*, 11 August 2020.

36. ASÍS, R. de: "Inteligencia artificial y Derechos Humanos", *Materiales de Filosofía del Derecho*, n.° 4, 2020, p. 3.

37. https://www.dropbox.com/sh/pnkyd6kkmflbpnv/AAAB_xa-DpsSUyLy4nFtc YlEa?dl=0&preview=CartaGobierno.MoratoriaReconocimientoFacial.Firmantes. 002.pdf.

38. https://maldita.es/malditatecnologia/20200703/reconocimiento-facial-mercadona-que-sabemos-que-no-cuentan/.

39. Sobre RENFE, *vid.* https://letslaw.es/renfe-y-la-videovigilancia-de-pasajeros-por-reconocimiento-facial/.

En el documento que contiene la petición elevada al gobierno, de paralizar el uso de estas herramientas se dice: "Hasta que no haya ley que las regule, las herramientas de reconocimiento facial no deben ser utilizadas en España". En concreto, reclaman: "una moratoria en el uso y comercialización de sistemas de reconocimiento y análisis facial por parte de empresas públicas y privadas hasta que la Cortes Generales y las instituciones legislativas europeas debatan cuáles, de qué manera, en qué condiciones, con qué garantías y con qué objetivos debe permitirse, si cabe, el uso de estos sistemas".

La propuesta de Reglamento de la Unión Europea sobre Inteligencia Artificial prohíbe el reconocimiento facial o biométrico, en tiempo real, en espacios públicos (con algunas excepciones que, en todo caso, requieren autorización judicial, como prevenir una amenaza terrorista específica e inminente, o identificar a un sospechoso de un delito grave, o buscar a un niño desaparecido). Por su parte, los sistemas de identificación biométrica, tanto en "tiempo real" como en "diferido", se consideran de Alto Riesgo. Al estar considerados como sistemas de IA de alto riesgo estarán sujetos a estrictas obligaciones antes de comercializarse y al cumplimiento de todos los requisitos y obligaciones establecidos para dichos sistemas[40].

2.2. LA PREDICCIÓN DE REINCIDENCIA EN LA COMISIÓN DE DELITOS. EL CASO COMPAS

COMPAS es un sistema de IA utilizado en muchos juzgados de Estados Unidos que calcula la probabilidad de reincidencia en la comisión de delitos. El sistema se basa en una encuesta realizada a los arrestados. La encuesta no pregunta directamente por la raza, pero parece ser que la deduce de otros parámetros arrojando puntuaciones de alto riesgo de reincidencia a determinadas minorías étnicas, especialmente a personas de raza negra, según se desprende de varias investigaciones que se han realizado al respecto, en relación al caso *State v. Loomis*, Wisconsin. Entre ellas, la realizada por investigadores del Dartmouth College, de Hanover[41] que sostenía que el algoritmo falla tanto como una persona elegida al azar y que tenga pocos conocimientos en el ámbito criminalístico, o la efectuada por Pro Pública, una organización de periodismo de investigación de Estados Unidos. La encuesta pregunta por aspectos como si el barrio en el que vive el sujeto es un barrio peligroso, si tiene amigos que pertenecen a una pandilla, cuál es su historial laboral y académico... Cada respuesta recibe una puntuación

---

40. *vid.* artículo 5 y Anexo III de la propuesta de Reglamento de la Unión Europea sobre IA.
41. *vid.* DRESSEL, J. and FAIRD, H.: "The accuracy, fairness, and limits of predicting recidivism", en *Science Advances*, 17, Vol. 4, no. 1, 2018, https://advances.sciencemag.org/content/4/1/eaao5580.

de 1 a 10 y se establece un promedio que determina si el sujeto puede salir bajo fianza, ser enviado a prisión, etc. En el caso concreto, el Sr. Loomis participó en un tiroteo en la ciudad de Chicago, conduciendo la camioneta donde escaparon los que abrían fuego. COMPAS lo calificó como "un individuo del alto riesgo para la comunidad" y en 2017 fue sentenciado a seis años de prisión, basándose, en parte, en el software secreto de COMPAS. La empresa propietaria, Northpointe Inc. no permitió el acceso al algoritmo. La defensa del Sr Loomis recurrió la sentencia al considerar que se había vulnerado el derecho a un proceso con todas las garantías porque el algoritmo de COMPAS era secreto. Los argumentos no fueron aceptados y el Tribunal Supremo del Estado de Wisconsin determinó que no existió vulneración del derecho a un proceso con todas las garantías procesales[42], si bien determinó que, en el futuro, el análisis de riesgo deberá tener una aclaración sobre sus limitaciones. La Corte de Wisconsin también advirtió que COMPAS podría dar a las minorías étnicas una puntuación de riesgo desproporcionada, basándose en la investigación de Pro Pública.

Hay que advertir, que en el ámbito de la Unión Europea, el tratamiento de datos personales relativos a condenas e infracciones penales, o medidas de seguridad conexas, solo podrán llevarse a cabo bajo la supervisión de las autoridades públicas o cuando lo autorice el Derecho de la Unión o de los Estados miembros, con las debidas garantías[43].

2.3. CLASIFICACIÓN DE PERSONAS DESEMPLEADAS SEGÚN SU PROBABILIDAD DE ENCONTRAR UN NUEVO TRABAJO. EL SISTEMA AUTOMATIZADO PAMAS

El servicio público de desempleo de Austria (AMS) utiliza un sistema automatizado, llamado PAMAS, para clasificar a las personas desempleadas según su probabilidad de encontrar un nuevo trabajo. Comenzó a utilizarse en fase de prueba en 2018.

---

42. *vid*. LIPTAK, A.: "Sent to Prison by a Software Program's Secret Algorithms", *New York Times*, 1 de mayo de 2017; https://harvardlawreview.org/2017/03/state-v-loomis/ Wisconsin Supreme Court Requires Warning Before Use of Algorithmic Risk Assessments in Sentencing; Case: 881 N.W.2d 749 (Wis. 2016); *Harvard Law Review*; http://caselaw.findlaw.com/wi-supreme-court/1742124.html.

43. *vid*. Art. 10 del RGPD [LCEur 2016, 605] dispone: "Tratamiento de datos personales relativos a condenas e infracciones penales El tratamiento de datos personales relativos a condenas e infracciones penales o medidas de seguridad conexas sobre la base del artículo 6, apartado 1, sólo podrá llevarse a cabo bajo la supervisión de las autoridades públicas o cuando lo autorice el Derecho de la Unión o de los Estados miembros que establezca garantías adecuadas para los derechos y libertades de los interesados. Solo podrá llevarse un registro completo de condenas penales bajo el control de las autoridades públicas".

El algoritmo analiza diferentes características de las personas desempleadas y proporciona a cada persona una puntuación, en función de los datos que suministra la persona desempleada a través de su solicitud[44]. Dependiendo de la puntuación obtenida, el algoritmo clasifica a las personas analizadas en tres categorías: A, B y C. Aquellos que logran más del 66 % en la prueba pertenecen a la categoría A. Las personas del grupo A no necesitan ayuda para encontrar un nuevo trabajo pues tienen perspectivas de encontrar trabajo a corto plazo. Los desempleados del grupo B son los que tienen posibilidades de encontrar trabajo en un plazo de dos años. A este grupo van dirigidas las ayudas y los cursos de formación del servicio de empleo austriaco. El grupo C son las personas que obtienen una puntuación inferior al 30 % y sus perspectivas de encontrar empleo son escasas; de ahí que se deriven a los servicios sociales. La razón de establecer este algoritmo, que se nutre de los datos estadísticos existentes en función del mercado laboral austriaco, es optimizar los recursos dirigiéndose a aquellas personas que se pueden beneficiar de ellos para obtener un puesto de trabajo.

La empresa contratada por el Servicio Público de Empleo de Austria, Synthesis Forschung, publicó el código fuente del algoritmo. En dicho documento se podía ver cómo se restaban puntos a aquellas personas pertenecientes a determinados grupos. En concreto la ponderación era negativa para las mujeres (y, sobre todo las mujeres con hijos), para los discapacitados, los extranjeros (especialmente los extracomunitarios), las personas mayores de 30 años, las personas que viven en determinadas áreas residenciales, "Así pues, una persona perteneciente a varios grupos especialmente susceptibles de sufrir discriminación vería su puntuación considerablemente reducida y, por tanto, aquellas personas vulnerables en situación de mayor riesgo de exclusión social se clasificarían en la categoría de 'baja probabilidad de encontrar un empleo'"[45].

Los responsables del Servicio de Empleo de Austria y la empresa encargada de desarrollar el algoritmo han respondido que simplemente el algoritmo se limita a reflejar las prácticas discriminatorias existentes en el mercado laboral. En este sentido SORIANO ARNANZ ha escrito que: "Ahora bien, aunque el servicio público de desempleo justificó esta forma de clasificación bajo el pretexto de ofrecer una mejor ayuda a las personas que tenían más dificultades para encontrar un nuevo empleo, decidieron dar

---

44. https://www.derstandard.at/story/2000089925698/berechnen-sie-ihre-jobchancen-so-wie-es-das-ams-tun.

45. *vid.* SORIANO ARNANZ; A.: "Decisiones....", op. cit., pp. 13 y 14 y https://algorithmwatch.org/en/austrias-employment-agency-ams-rolls-out-discriminatory-algorithm/.

prioridad a la eficiencia en la asignación de los recursos públicos sobre cualquier otro objetivo. Así pues, tras llegar a la conclusión de que la asignación de recursos más eficaz sería la de proporcionar más recursos a las personas con una probabilidad media de encontrar un nuevo empleo, se decidió reducir considerablemente la cantidad de recursos y otras ayudas proporcionadas a las personas desempleadas cuyas posibilidades de reincorporarse al mercado laboral son menores, perpetuando así las situaciones de exclusión social que sufren determinados grupos e individuos, y ayudando a reforzar la construcción de estructuras e instituciones sociales mediante relatos de subordinación de los grupos históricamente oprimidos"[46].

La autoridad austriaca de protección de datos, en agosto de 2020, declaró ilegal este algoritmo por no cumplir con los requisitos exigidos por el RGPD [LCEur 2016, 605]. En concreto, la autoridad austriaca determinó que este algoritmo realizaba una elaboración de perfiles y que para ello era necesaria una cobertura legal; circunstancia que no se daba en la utilización de este algoritmo por parte del Servicio de Empleo de Austria. Otro problema en la utilización de este algoritmo se deriva de las decisiones automatizadas. Si bien la normativa interna determina que siempre un empleado del Servicio de Empleo debe decidir sobre la propuesta de clasificación del desempleado, no se puede evitar que los resultados de la evaluación del algoritmo se adopten de forma rutinaria y automática. La autoridad austriaca de protección de datos determina que en este punto tampoco existe regulación legal que ampare los mecanismos de protección de los desempleados de acuerdo al contenido del RGPD [LCEur 2016, 605], ni se contempla el procedimiento para hacer valer sus derechos en caso de reclamación o queja a la clasificación obtenida. Por lo tanto, la autoridad austriaca de protección de datos prohibía la utilización de este algoritmo a partir del 1 de enero de 2021.

Esta decisión de la autoridad austriaca de protección de datos fue recurrida ante el Tribunal Administrativo Federal de Austria. Este tribunal dictó sentencia el 18 de diciembre de 2020 revocando la decisión de la autoridad austriaca de protección de datos[47]. El Tribunal Administrativo Federal considera que no son decisiones automatizadas, pues el resultado que ofrece el algoritmo es una información adicional para que el empleado del Servicio Público de empleo (AMS) tome la decisión final. La AMS ha decidido seguir utilizando el algoritmo en pruebas sobre todo por la desactualización de los datos que maneja este algoritmo debido a la pandemia COVID-19.

---

46. *vid.* SORIANO ARNANZ; A.: "Decisiones....", op. cit., pp. 13 y 14.
47. https://www.ris.bka.gv.at/JudikaturEntscheidung.wxe?Abfrage=Bvwg& Dokumentnummer=BVWGT_20201218_W256_2235360_1_00.

Por último, en relación a la futura aplicación del Reglamento comunitario sobre IA a este tipo de algoritmos, los responsables del Servicio público de Empleo de Austria ya se han adelantado a decir que dicho algoritmo no utiliza IA. Sin embargo, los expertos consideran que este tipo de algoritmo sí utiliza IA y debería considerarse de alto riesgo. En relación a lo anterior, cabe plantearse, incluso, si un sistema de IA, como el que se describe, no estaría realizando una clasificación social y entraría, por tanto, dentro de los sistemas de IA prohibidos por la propuesta de Reglamento de la UE[48].

2.4. PREDECIR LA PROBABILIDAD DE QUE PERSONAS BENEFICIARIAS DE AYUDAS PÚBLICAS COMETAN FRAUDE. ALGORITMOS EN BUSCA DE FRAUDE EN AYUDAS PÚBLICAS. EL CASO SYRI[49]

La Corte de Distrito de La Haya dictó, el 5 de febrero de 2020, una sentencia. El gobierno holandés implementó un sistema algorítmico de indicación de riesgos, se trata del *System Risk Indication* o SyRI, por sus siglas en inglés. Este sistema se utilizaba con el fin de predecir la probabilidad de que solicitantes de beneficios estatales defraudaran tanto en sus contribuciones a la seguridad social como en el pago de impuestos.

El sistema se basa en la asignación del nivel de riesgo de que una determinada persona cometa fraude a los ingresos públicos, en función de una serie de parámetros analizados y relacionados entre sí.

Se trata de una medida que fue instaurada a solicitud de determinadas agencias y organismos públicos, a la vista del elevado volumen de fraude detectado en el país[50]. El sistema utiliza un algoritmo que procesa datos como nombre, dirección, lugar de residencia, dirección postal, fecha de nacimiento, género y características administrativas de las personas;

---

48. https://www.derstandard.at/story/2000125884443/regeln-fuer-kuenstliche-intelligenz-ams-algorithmus-auf-dem-eu-pruefstand.

49. Sentencia del 5 de febrero de 2020 de la Corte de Distrito de la Haya (Rechtbank Den Haag). Referencia: [ECLI: NL: RBDHA: 2020:865, Rechtbank Den Haag, C-09-550982-HA ZA 18-388 (rechtspraak.nl)] Disponible en https://bit.ly/2SpN2O4. Un caso similar es el sistema para detectar posibles fraudes en las ayudas sociales en Australia, conocido como ROBODEBT. Sobre estos casos y otros similares, *vid.* EUBANKS, V.: *La automatización de la desigualdad. Herramientas de tecnología avanzada para supervisar y castigar a los pobres*, Capitán Swing Libros, 2021.

50. Dicha medida se basaba en la denominada Ley de Organización de Implementación y Estructura de Ingresos (*Wet structuur uitvoeringsorganisatie en inkomen*, SUWI), cuyo artículo 65.2 permite la elaboración de informes de riesgos para evaluar el riesgo de que una persona física o jurídica haga un uso ilegal de fondos gubernamentales en el campo de la seguridad social y los esquemas relacionados con los ingresos públicos.

sobre su trabajo; sobre medidas y sanciones administrativas aplicadas a la misma; sus datos fiscales, incluida información sobre bienes muebles e inmuebles; datos sobre motivos de exclusión de asistencia o beneficios; datos comerciales; datos de integración, que son datos que pueden usarse para determinar si se han impuesto obligaciones de integración a una persona; historial de cumplimiento de las leyes y reglamentos; datos sobre becas recibidas; sobre pensiones; sobre la obligación de reintegro de prestaciones públicas; sobre endeudamiento; sobre beneficios, ayudas y subsidios recibidos; sobre permisos y exenciones recibidos para la realización de actividades y datos del seguro de salud, entendidos exclusivamente como aquellos que se pueden usar para determinar si una persona está asegurada en virtud de la Ley de seguro de salud.

El procesamiento de estos datos se realiza en dos fases. En la primera se recogen y pseudonimizan, reemplazando el nombre personal, los números de seguridad social y las direcciones por un código (seudónimo). A continuación, se comparan los datos con el modelo de riesgos y se identifican los posibles factores de riesgo. Si una persona, física o jurídica, o una dirección, es clasificada como de riesgo elevado, sus datos se descifran nuevamente utilizando el archivo de clave y transferidos a una segunda fase del análisis de riesgos por una unidad de análisis específica. En la segunda fase, los datos descifrados son analizados por esta unidad de análisis, que asigna un nivel de riesgo definitivo.

Esa normativa fue impugnada por diversas organizaciones de defensa de los derechos humanos y civiles holandesas[51].

Este caso dio lugar a una sentencia pionera en el ámbito digital. La Corte de Distrito de La Haya, Países Bajos, dictó, el 5 de febrero de 2020, una sentencia por la que se declara contrario al Convenio Europeo de Derechos Humanos [RCL 1979, 2421], y por tanto ilegal, el uso de un algoritmo diseñado para combatir el fraude a la seguridad social. La Corte de Distrito considera que el gobierno holandés no hizo público el tipo de algoritmos utilizados en el modelo de riesgo, ni proporcionó información sobre el método de análisis de riesgos utilizado, con la excusa de evitar que los ciudadanos, en consecuencia, pudiesen ajustar su comportamiento. Tampoco se preveía ninguna obligación de informar a los interesados, individualmente, del hecho de que su evaluación de riesgo había sido positiva. Esa falta de transparencia también plantea problemas de cara a verificar los posibles efectos discriminatorios (no intencionados),

---

51. Un estudio más pormenorizado de la sentencia puede consultarse en LAZCOZ, G. & CASTILLO PARRILLA, J. A.: "Valoración algorítmica ante los derechos humanos y el Reglamento General de Protección de Datos: el caso SyRI", en *Revista Chilena de Derecho y Tecnología*. 9. 2020.

sobre todo, teniendo en cuenta que el estudio se realiza sobre determinados colectivos, considerados sensibles. Dada la gran cantidad de datos utilizados por el algoritmo, que incluye datos personales de categoría especial, y el hecho de que se utilicen perfiles de riesgo, puede sugerir que se realicen conexiones involuntarias basadas en sesgos.

La Corte de Distrito determina que si bien es lícito utilizar instrumentos de este tipo (sistemas de indicación de riesgo para prevenir el fraude en ayudas sociales), siempre que exista un interés público que lo justifique y se tomen las medidas adecuadas para garantizar la mínima inferencia necesaria en el derecho a la privacidad, en el caso concreto, la implementación de SyRI, no cumple las exigencias de proporcionalidad y transparencia necesarias y vulnera las previsiones sobre el respeto a la vida privada que reconoce el artículo 8 del Convenio Europeo de Derechos Humanos [RCL 1979, 2421], por lo que es contrario a la Ley. En particular, estima, que esta legislación no cumple con el "equilibrio justo" que de acuerdo con el CEDH [RCL 1979, 2421] debe existir entre el interés social, al que sirve la normativa cuestionada y la violación de la vida privada que supone, para poder estimar suficientemente justificada esta intromisión.

El Tribunal, también analiza un aspecto clave para la interpretación de la violación del artículo 8.2. del CEDH [RCL 1979, 2421] y es que entiende que no hay razones para pensar que la protección mínima del derecho al respeto de la vida privada, que incluye la protección de datos personales, tenga un alcance menor que la protección de datos prevista en la Carta Europea de Derechos Fundamentales [LCEur 2000, 3480] y en el RGPD [LCEur 2016, 605]. Por dicho motivo, interpreta el artículo 8.2. del CEDH [RCL 1979, 2421] sobre la base de los principios generales contenidos en el artículo 5 del RGPD [LCEur 2016, 605].

La peculiaridad de la sentencia radica en declarar la ilegalidad del sistema algorítmico, SyRI, utilizando el CEDH [RCL 1979, 2421] y no el RGPD [LCEur 2016, 605] (si bien interpreta el CEDH sobre la base de los principios generales contenidos en el RGPD [LCEur 2016, 605]). La Corte de Distrito tampoco decidió plantear cuestión prejudicial al TJUE, sobre la aplicación concreta del RGPD [LCEur 2016, 605] en este contexto. El gobierno holandés manifestó su intención de no recurrir la sentencia y cambiar el sistema.

2.5. POLÍTICA DE SEGMENTACIÓN DE PUBLICIDAD DE FACEBOOK

El Departamento de Vivienda y Desarrollo Urbano de EE.UU. (*US Department of Housing and Urban Development, HUD*) entendió que Facebook estaba infringiendo la ley (*Fair Housing Act*) al permitir que los anuncios de viviendas se orientasen en función de la raza, el género y la religión, precisamente el tipo de cosas que la ley de EE. UU. prohibía hacer. También se plantearon problemas con anuncios en el ámbito del empleo. Los anuncios de empleo para conserjes y taxistas fueron mostrados a personas pertenecientes a minorías. Los anuncios de empleo para enfermeros/as y secretarios/as fueron mostrados a una mayor proporción de mujeres. En el ámbito de la vivienda, los anuncios de ventas de vivienda se mostraban más a usuarios de raza blanca mientras que los de alquileres se mostraban, mayoritariamente, a las minorías. La compañía Facebook mediante un acuerdo con el Departamento (de marzo de 2019) decidió cambiar su política de segmentación de publicidad y dejar de hacerlo[52].

La herramienta de publicidad de Facebook permitía a los anunciantes elegir entre tres objetivos de optimización: la cantidad de visitas que obtiene un anuncio, la cantidad de clics y de interacción generada, y la cantidad de ventas obtenidas. Pero esos objetivos comerciales no coinciden con el propósito de mantener un acceso igualitario a la vivienda. En este sentido, si el algoritmo descubre que puede generar más interacciones, al mostrar casas a la venta a un número superior de usuarios de raza blanca, terminará discriminando a los usuarios de raza negra.

La herramienta de publicidad de Facebook basaba sus decisiones de optimización en las preferencias históricas de las personas. Si una proporción mayor de personas de grupos minoritarios ha demostrado tener un interés mayor en casas de alquiler en el pasado, el modelo de aprendizaje automático habría identificado ese patrón y lo aplicaría reiteradamente.

El problema, por tanto, radica en el funcionamiento del algoritmo, basado en el aprendizaje automático, que encuentra patrones en cantidades masivas de datos, que replican los prejuicios existentes, y los aplica para tomar decisiones.

---

52. https://www.technologyreview.es/s/11080/facebook-discrimina-en-funcion-de-la-raza-el-genero-y-la-religion#:~:text=haya%20demandado%20al%20gigante%20tecnol%C3%B3gico,anunciando%20que%20dejar%C3%A1%20de%20permitirlo. Un artículo sugiere que podría ser posible restringir los algoritmos para minimizar el comportamiento discriminatorio, aunque a un pequeño coste para los ingresos obtenidos por publicidad, *vid.* CELIS; L. E. and MEHROTRA, A. and VISHNOI, N.K.: "Toward Controlling Discrimination in Online Ad Auctions", 2019, https://arxiv.org/abs/1901.10450.

2.6. RESERVA DE SESIONES DE TRABAJO DE LOS RIDERS REALIZADA POR DELIVEROO BASADAS EN UN RANKING REPUTACIONAL

Una sentencia italiana reconoce que un algoritmo no es neutral a la hora de tomar decisiones, sino que conscientemente es capaz de discriminar porque reproduce al infinito la lógica de sus programadores[53].

Según el Tribunal de Bolonia, el complejo mecanismo utilizado por la plataforma Deliveroo para organizar las reservas de las sesiones de trabajo de los *riders*, privilegia el acceso a las posibilidades de trabajo, en función de un ranking reputacional, obstaculizando, por ejemplo, su participación en acciones de lucha sindical.

El modelo organizativo de la plataforma se basa en la reputación digital del *rider*. Privilegia al que está totalmente disponible, en las sesiones reservadas de trabajo y penaliza a aquel que, habiendo reservado una sesión de trabajo, la cancela posteriormente, sin tener en cuenta si esto se debe a motivos de salud, de asistencia a familiares o por su adhesión a iniciativas sindicales de huelga.

El sistema de gestión algorítmica usado por Deliveroo, llamado "Frank", valora como elemento de preferencia para la reserva de sesiones sucesivas, así como para elegir mejores franjas horarias para la realización del servicio de entrega, el hecho de no cancelar, aunque sea de forma anticipada, la reserva previamente realizada por el *rider*. De esta forma, "Frank" va lentamente excluyendo del ciclo productivo al repartidor que no asegura la disponibilidad.

La magistrada de Bolonia considera en su sentencia que el modelo de valoración adoptado por la plataforma nace de una "elección consciente" de la empresa, que no desea tomar en consideración las diferentes razones que podrían justificar la cancelación de la reserva por parte del *rider*. La discriminación radica justo en esta ceguera consciente del algoritmo. Dicho sistema, no solo puede afectar al libre ejercicio del derecho de huelga sino, también, a otras causas legítimas como la enfermedad, un accidente, exigencias ligadas al cuidado de hijos menores, etc.

Por lo tanto, el sistema de acceso a las reservas de trabajo (SSB), adoptado por la plataforma, realiza una discriminación indirecta, aplicando

---

53. Sentencia del Tribunal de Bolonia 31 diciembre 2020, n. 2949/2019, [http://www.bollettinoadapt.it/wp-content/uploads/2021/01/Ordinanza-Bologna.pdf]. Sobre este asunto, *vid.* FERNÁNDEZ SÁNCHEZ, S.: "El algoritmo Frank no es ciego, según la sentencia del Tribunal de Bolonia 31 diciembre 2020, n. 29491", 2021, https://www.transformaw.com/blog/el-algoritmo-frank-no-es-ciego-segun-la-sentencia-del-tribunal-de-bolonia-31-diciembre-2020-n-29491/.

una disposición aparentemente neutra (la normativa contractual sobre la cancelación anticipada de las sesiones de trabajo reservadas) que determina para un determinado grupo de trabajadores una situación de particular desventaja.

En consecuencia, se establece en la sentencia que "El sistema de perfilación del *rider* adoptado por la plataforma Deliveroo, basado sobre los dos parámetros de la reputación o confianza y la participación, al tratar del mismo modo a quien no participa por motivos fútiles y a quien no participa porque hace huelga (o porque está enfermo, o lesionado, o asiste a un menor enfermo, etc.), discrimina en concreto a este último, marginándolo del grupo prioritario y por lo tanto reduciendo significativamente sus futuras ocasiones de acceso al trabajo".

En España, se ha producido una reciente reforma del Estatuto de los Trabajadores [RCL 2015, 1654][54], en este contexto; precisamente para impedir estas prácticas discriminatorias. En concreto, se reconoce el derecho de los comités de empresa a:

> "Ser informado por la empresa de los parámetros, reglas e instrucciones en los que se basan los algoritmos o sistemas de inteligencia artificial que afectan a la toma de decisiones que pueden incidir en las condiciones de trabajo, el acceso y mantenimiento del empleo, incluida la elaboración de perfiles".

Se configura, por tanto, un derecho de acceso, de los comités de empresa, a los parámetros, reglas e instrucciones en los que se basan los algoritmos o sistemas de Inteligencia Artificial que afectan a la toma de decisiones, a efectos de poder ejercer sus competencias de supervisión, control y, en su caso, acciones legales oportunas.

3. DISCRIMINACIÓN POSITIVA ALGORÍTMICA

No obstante, todo lo expuesto anteriormente, sobre que los algoritmos pueden discriminar (negativamente) también hay que advertir que los algoritmos pueden ser usados para realizar una discriminación positiva y, por tanto, para beneficiar a algunos colectivos que parten de una situación de desventaja como, por ejemplo, las personas con discapacidad.

---

54. Real Decreto-ley 9/2021, de 11 de mayo, por el que se modifica el texto refundido de la Ley del Estatuto de los Trabajadores, aprobado por el Real Decreto Legislativo 2/2015, de 23 de octubre, para garantizar los derechos laborales de las personas dedicadas al reparto en el ámbito de plataformas digitales [RCL 2021, 910]. Artículo 1. Modificación del texto refundido de la Ley del Estatuto de los Trabajadores, aprobado por el Real Decreto Legislativo 2/2015, de 23 de octubre [RCL 2015, 1654].

La discriminación positiva significa "Política o programa que proporciona acceso preferencial a la educación, al empleo, a la asistencia sanitaria o al bienestar social a personas de un grupo minoritario que tradicionalmente han sido objeto de discriminación, con el objetivo de crear una sociedad más igualitaria"[55].

Obviamente, el tratamiento de estos datos personales tendrá que efectuarse sobre los parámetros del RGPD [LCEur 2016, 605] y, en consecuencia, el interesado tendrá que dar su consentimiento para el tratamiento de los mismos; lo cual supondrá, en el terreno práctico, que tendrá que declarar, por ejemplo, su discapacidad si quiere, por ejemplo, que se le practique un ajuste razonable, se le priorice en el uso de un servicio, el acceso a un empleo, etc. En este sentido, recordamos las excepciones que se recogían en el artículo 22 y en artículo 9 del RGPD [LCEur 2016, 605] (Capítulo II, Apartado 3 de esta obra). En relación al artículo 9, relativo a datos de categorías sensibles, están contempladas las excepciones de prestar consentimiento o que el tratamiento de datos sea necesario por razones de interés público esencial (que también puede encajar en este supuesto).

En relación a lo anterior, traemos a colación dos ejemplos en los que hemos trabajado en el sector del taxi (reasignación de servicios de taxis[56]) y en relación con las intersecciones autónomas[57].

En el primer supuesto, el usuario de taxi solicita un taxi a través de una aplicación informática. Se asigna el servicio a un taxi, pero en el trayecto, de recogida de un cliente, la aplicación detecta que otro taxi podría realizar dicho servicio por encontrarse más cerca del cliente. Se gana en eficiencia y favorece el medioambiente al reducirse, por ejemplo, las emisiones contaminantes y se reduce el tráfico en las ciudades. La aplicación, en consecuencia, reasigna al cliente, siempre y cuando el primer taxista acepte dicha reasignación a cambio de una compensación económica. El artículo analiza la adecuación de esta propuesta a la Ordenanza del taxi

---

55. *vid. Diccionario panhispánico del español jurídico.* RAE.

56. *vid.* BILLHARDT, H.; SANTOS, JA.; FERNÁNDEZ, A.; MORENO-REBATO, M.; OSSOWSKI, S.; RODRÍGUEZ-GARCÍA, J. A.: "Legal Implications of Novel Taxi Assignment Strategies", en DE LA PRIETA F. et al. (eds) *Highlights in Practical Applications of Agents, Multi-Agent Systems, and Trust-worthiness. The PAAMS Collection. PAAMS 2020. Communications in Computer and Information Science*, vol. 1233, 2020, Springer, https://doi.org/10.1007/978-3-030-51999-5_30.

57. *vid.* SANTOS, J. A.; FERNÁNDEZ, A.; MORENO-REBATO, M.; BILLHARDT, H.; RODRÍGUEZ-GARCÍA, J. A; OSSOWSKI, S.: "Legal and ethical implications of applications based on agreement technologies: the case of auction-based road intersections", *Artificial Intelligence and Law*, 28, pp. 385–414, 2020, https://doi.org/10.1007/s10506-019-09259-8.

del Ayuntamiento de Madrid. En la propuesta sobre reasignación de taxis el algoritmo debe tener en cuenta la elección del cliente, por ejemplo, si se trata de eurotaxi ya que si se trata de una persona con determinado tipo de discapacidad solo podrá desplazarse en dichos modelos de taxi.

En el segundo supuesto, el artículo describe que cuando un vehículo autónomo tiene que cruzar una intersección autónoma se puede utilizar el criterio de que el primer vehículo que llegue, cruce. Sin embargo, este artículo propone utilizar la subasta para reservas espacio/tiempo, de tal forma que el usuario valora su tiempo y puja por pasar. Se estudian las posibles modificaciones normativas para facilitar este tipo de intersecciones, así como los problemas jurídicos derivados de la aplicación del principio de no discriminación en el acceso a la intersección autónoma; por ejemplo, determinar preferencias de paso de los vehículos que transporten a personas con determinado tipo de discapacidad o establecer bonificaciones para determinados colectivos sociales.

Fuera de nuestras fronteras, pero relacionado con lo anterior, el proyecto de Ley sobre la regulación de los vehículos autónomos de Massachusetts (Proyecto de Ley de 2017) establece que la regulación de los vehículos autónomos procurará proteger a las comunidades más afectadas y desfavorecidas del Estado, garantizará la igualdad en la protección de las mismas y la distribución equitativa de los beneficios y costos asociados con el funcionamiento de los vehículos autónomos[58].

---

58. El título de este Proyecto era: "An Act to promote the safe integration of autonomous vehicles into the transportation system of the Commonwealth", 2017, Massachusetts. [https://malegislature.gov/Bills/190/S1945].

Capítulo IV

Transparencia, bienestar social y ambiental y rendición de cuentas

1. TRANSPARENCIA, EXPLICABILIDAD, TRAZABILIDAD Y COMUNICACIÓN

Transparencia

Este requisito guarda una relación estrecha con el *principio de explicabilidad* y está conectado, a su vez, con la trazabilidad y la comunicación. Incluye la transparencia[1] de los datos, del sistema y de los modelos de negocio[2].

La transparencia exige poder reconstruir cómo se comporta un sistema de IA y por qué se comporta de una determinada manera.

La propuesta de Reglamento de Inteligencia Artificial de la Unión Europea también incluye obligaciones de transparencia, que se aplicarán a los sistemas de IA que interactúen con humanos, que se utilicen para detectar emociones (reconocimiento emocional) o sistemas que utilicen datos biométricos, o generar o manipular contenido "falsificaciones profundas" (*Deep fakes*). Las personas deben ser informadas de que están interactuando con sistemas de IA. Si bien, esta obligación no se aplicará a los sistemas de IA autorizados por la ley para fines de detección, prevención, investigación o enjuiciamiento de infracciones penales, salvo que estos sistemas estén a disposición del público para denunciar una infracción penal[3].

---

1. *vid.* WELLER, A.: "Challenges for transparency", en W. SAMEK, G. MONTAVON, A. VEDALDI, L. HANSEN, & K. R. MÜLLER (Eds.), *Explainable AI: Interpreting, explaining and visualizing deep learning*, Springer, 2017, pp. 23-40: DESAI, D. R., & KROLL, J. A.: "Trust but verify: A guide to algorithms and the law", *Harvard Journal of Law & Technology*, 31 (1), 2017, pp. 1-64.

2. *Directrices éticas para una IA fiable*. Grupo de expertos de alto nivel sobre inteligencia artificial, creado por la Comisión Europea, 2019, p. 22.

3. Propuesta de Reglamento de la Unión Europea sobre IA, Memorando explicativo 5.2.4. y artículo 52.

En Francia, el Código de relaciones entre el público y la administración de 2015 (*Code "Des Relations Entre Le Public Et L'Administration"*) establece la obligación de mencionar explícitamente en las decisiones administrativas individuales el hecho de haber sido tomadas a través de procesamiento algorítmico[4]. Esto se inscribe en el marco de las obligaciones de transparencia de las Administraciones. La transparencia permite a los interesados:

- comprender cómo se tomó una decisión administrativa;
- facilitar el ejercicio de sus derechos.

Para las administraciones, ayuda a establecer una relación de confianza con las personas interesadas.

El Código de relaciones entre el público y la administración define tres obligaciones:

1. Proporcionar información general
2. incluir una mención explícita
3. proporcionar información individual a solicitud del interesado.

La obligación de mención explícita también se aplica a las decisiones no automatizadas. A partir del 1 de julio de 2020, una decisión tomada únicamente sobre la base de un procesamiento completamente automatizado que no incluya una mención explícita es nula. Esta obligación se aplica a las decisiones individuales hacia personas físicas y jurídicas.

La información sobre el uso del procesamiento algorítmico incluye la obligación de mencionar el propósito, por ejemplo: calcular el monto del impuesto adeudado y las reglas utilizadas (enlace a las reglas que definen el procesamiento algorítmico principal utilizado en el desempeño de las misiones de la Administración cuando son la base de decisiones individuales).

En Canadá la Directiva sobre toma de decisiones automatizada de 2019[5] también incluye obligaciones de transparencia, como la obligación de informar en los sitios web relevantes que la decisión será tomada en su totalidad, o en parte, por un sistema automatizado de decisiones y

---

4. Esta obligación de información general solo se aplica a las Administraciones con más de 50 funcionarios o empleados y a las entidades locales con más de 3.500 habitantes. Sobre estas cuestiones, *vid.* Decisión Conseil constitutionnel n.° 2020-834 QPC de 3 de abril de 2020, NOR: CSCX2009068S; JORF n.° 0082 de 4 de abril de 2020. Texto n.° 34 11 y DE DONNO, M.: "The French Code 'Des Relations Entre Le Public Et L'Administration'. A New European Era For Administrative Procedure?", en *Italian Journal of Public Law* 2, 2017, pp. 220-260.
5. Canadian Directive on Automated Decision-Making, 1st April 2019, *vid.* https://www.tbs-sct.gc.ca/pol/doc-eng.aspx?id=32592.

proporcionar una explicación significativa a las personas afectadas de cómo y por qué se tomó la decisión.

Explicabilidad[6]

La explicabilidad[7] es esencial para conseguir que los usuarios confíen en los sistemas de IA. Implica la capacidad de explicar tanto los procesos técnicos de un sistema de IA como las decisiones humanas asociadas a los mismos.

La explicabilidad técnica requiere que las decisiones que adopte un sistema de IA sean comprensibles para los seres humanos. Sin esta información, no es posible impugnar adecuadamente una decisión. Dicha explicación debería, además, adaptarse al nivel de conocimientos y especialización de la parte interesada (que puede ser una persona no experta en la materia, un regulador o un investigador). Y debe poder explicar en qué medida el sistema de IA condiciona e influye en el proceso de toma de decisiones de una determinada empresa u organización; incluyendo, también la transparencia sobre su modelo de negocio[8].

Trazabilidad

"Los conjuntos de datos y los procesos que dan lugar a la decisión del sistema de IA, incluidos los relativos a la recopilación y etiquetado de los datos, así como a los algoritmos utilizados, deberían documentarse con arreglo a la norma más rigurosa posible con el fin de posibilitar la trazabilidad y aumentar la transparencia. Esto también es aplicable a las decisiones que adopte el sistema de IA. Esto permitirá identificar los motivos de una decisión errónea por parte del sistema, lo que a su vez podría ayudar

---

6. El término "explicabilidad" aparece en la traducción oficial de los documentos europeos utilizados y, también, en España, en la Carta de los Derechos Digitales, de julio de 2021.

7. *vid.* KAMINSKI, M. E.: "The right to explanation, explained", *Berkeley Technology Law Journal*, 34(1), 2019, 189-218. https://doi.org/10.15779/Z38TD9N83H; GUNNING, D.: *Explainable artificial intelligence (XAI)*. Defense Advanced Research Projects Agency, DARPA/I20, 2017.

8. *Directrices éticas para una IA fiable*. Grupo de expertos de alto nivel sobre inteligencia artificial, creado por la Comisión Europea, 2019, pp. 16 y 22. Sobre el derecho de explicabilidad y el RGPD [LCEur 2016, 605], en especial, la poca eficacia que tendría la aplicación de este Reglamento comunitario a la IA, *vid.* WACHTER, S., MITTELSTADT, B., & FLORIDI, L.: "Why a right to explanation of automated decision-making does not exist in the General Data Protection Regulation", *International Data Privacy Law*, 7 (2), 2017, pp. 76–99, https://doi.org/10.1093/idpl/ipx005; WACHTER, S., MITTELSTADT, B., & RUSSELL, C.: "Counterfactual explanations without opening the black box: Automated decisions and the GDPR", *Harvard Journal of Law & Technology*, 31 (2), 2017, pp. 841–888, https://heinonline.org/HOL/P?h=hein.journals/hjlt31&i=860; EDWARDS, L., & VEALE, M.: "Slave to the algorithm: Why a right to an explanation is probably not the remedy you are looking for", *Duke Law & Technology Review*, 16, 2017, p. 18.

a prevenir futuros errores. La trazabilidad, por tanto, facilita la auditabilidad y la explicabilidad"[9].

En relación a este requisito, los métodos utilizados para diseñar y desarrollar el algoritmo, deberían documentar el método de programación o la forma en que se creó el modelo y en el caso sistemas basados en el aprendizaje, se debería documentar el método de formación del algoritmo, incluidos los datos de entrada que se recopilaron y seleccionaron y la forma en que se hizo. También deberían documentar los ensayos y la validación. En relación a los resultados del sistema algorítmico también se deberían documentar las decisiones adoptadas por este, así como las que podrían producirse en casos diferentes (por ejemplo, para otros subgrupos de usuarios)[10].

Comunicación

"Los sistemas de IA no deberían presentarse a sí mismos como humanos ante los usuarios; las personas tienen derecho a saber que están interactuando con un sistema de IA. Por lo tanto, los sistemas de IA deben ser identificables como tales. Además, cuando sea necesario, se debería ofrecer al usuario la posibilidad de decidir si prefiere interactuar con un sistema de IA o con otra persona, con el fin de garantizar el cumplimiento de los derechos fundamentales. Más allá de lo expuesto, se debería informar sobre las capacidades y limitaciones del sistema de IA a los profesionales o usuarios finales; dicha información debería proporcionarse de un modo adecuado según el caso de uso de que se trate y debería incluir información acerca del nivel de precisión del sistema de IA, así como de sus limitaciones"[11].

2. EL ACCESO AL CÓDIGO FUENTE

2.1. PLANTEAMIENTO GENERAL Y PROBLEMÁTICA

Al analizar el principio de no discriminación y relacionarlo con la posible discriminación algorítmica, advertíamos que muchas veces no será

---

9. *Directrices éticas para una IA fiable*. Grupo de expertos de alto nivel sobre inteligencia artificial, creado por la Comisión Europea, 2019, p. 22.

10. *Directrices éticas para una IA fiable*. Grupo de expertos de alto nivel sobre inteligencia artificial, creado por la Comisión Europea, 2019, p. 37. *vid.*, también, *Libro blanco sobre la inteligencia artificial de la Comisión Europea*, *vid.* https://ec.europa.eu/info/sites/default/files/commission-white-paper-artificial-intelligence-feb2020_es.pdf, p. 37.

11. *Directrices éticas para una IA fiable*. Grupo de expertos de alto nivel sobre inteligencia artificial, creado por la Comisión Europea, 2019, p. 22.

fácil probar la existencia de una discriminación realizada por un sistema de IA si no era posible aportar un elemento de comparación y acceder al contenido del algoritmo. Acceder al código fuente de un programa consiste en tener acceso a los algoritmos desarrollados por sus creadores, lo cual no siempre será fácil pues éstos argumentarán que se está vulnerando la privacidad y la propiedad intelectual sobre los mismos. No obstante, hay tribunales y órganos administrativos que han obligado a dar acceso al código fuente de diferentes sistemas automatizados[12].

También se sostiene, en este sentido, que la transparencia algorítmica, que guarda, obviamente, relación con el posible acceso al algoritmo, puede desincentivar el desarrollo de esta tecnología y que, por tanto, hay que buscar un equilibrio al respecto porque si bien los fondos públicos a través del I+D+I han sido fundamentales para su desarrollo, sin la participación de las empresas privadas el estado actual de esta tecnología no sería la que es[13].

Una forma de garantizar la transparencia algorítmica, permitiendo saber cómo se ha diseñado y cómo funciona el algoritmo, sin comprometer los datos personales almacenados y conservados, puede realizarse desde el propio diseño del algoritmo hasta utilizando la técnica de la anonimización. Cuando un conjunto de datos se anonimiza ya no es posible identificar a las personas[14] y no se podrá alegar, por tanto, que los datos quedan protegidos por la legislación de protección de datos.

En Francia, el Código de relaciones entre el público y la administración de 2015 se aplica con el fin de procesar o acceder a datos personales relacionados con beneficios sociales. Este código establece "que los algoritmos utilizados por las administraciones públicas deben ser publicados" y "la persona sujeta a la toma de decisiones automatizada tiene derecho a ser informada"[15]. Dicho derecho se inscribe en el marco de las obligaciones de transparencia de las Administraciones que recurren al procesamiento algorítmico. El código de relaciones entre el público y la Administración (CRPA, Code "Des Relations Entre Le Public Et L'Administration") especifica el alcance y los tratamientos afectados, como hemos indicado anteriormente.

---

12. Por ejemplo, en el ámbito del sector público, *vid.* SORIANO ARNANZ, A.: "Decisiones...", op. cit., p. 18.

13. *vid.* ARELLANO TOLEDO, W.: "El derecho a la transparencia algorítmica en big data e inteligencia artificial", *Revista General de Derecho Administrativo*, n.° 50, 2020, p. 13.

14. *vid.* ARELLANO TOLEDO, W.: "El derecho a la transparencia algorítmica en big data e inteligencia artificial", op. cit., pp. 15 a 18.

15. *vid.* DE DONNO, M.: "The French Code 'Des Relations Entre Le Public Et L'Administration'. A New European Era for Administrative Procedure?", *Italian Journal of Public Law* 2, 2017, pp. 220-260.

En relación a la transparencia y el acceso al código fuente, que analizaremos a continuación, la propuesta de Reglamento de la Unión Europea establece que dicho principio (de transparencia) no afectará de manera desproporcionada el derecho a la propiedad intelectual ya que se limitarán únicamente a la información mínima necesaria para que las personas ejerzan su derecho a un recurso efectivo y a la transparencia necesaria y que toda divulgación de información se llevará a cabo de conformidad con la legislación pertinente en la materia, incluida la Directiva 2016/943 sobre la protección de conocimientos técnicos e información empresarial no divulgados (secretos comerciales) contra su adquisición, uso y divulgación ilícitos [LCEur 2016, 842]. El Reglamento supondrá la creación de autoridades nacionales de supervisión, a los que se asignarán competencias de vigilancia del mercado ("Agencias de vigilancia de los sistemas de IA"), cuando deban tener acceso a información confidencial o al código fuente para examinar el cumplimiento de obligaciones sustanciales, la propuesta de Reglamento establece que se les impondrán obligaciones de confidencialidad vinculantes[16].

En concreto, en el artículo 64 (de la propuesta de Reglamento de la Unión Europea sobre IA) se establece:

"1. Se concederá a las autoridades de vigilancia del mercado acceso a datos y documentación en el contexto de sus actividades, así como pleno acceso a los conjuntos de datos de entrenamiento, validación y prueba utilizados por el proveedor, incluso mediante interfaces de programación de aplicaciones ('API', por sus siglas en inglés) u otros medios técnicos y herramientas adecuados que permitan el acceso a distancia.

2. En caso necesario y previa solicitud motivada, se concederá a las autoridades de vigilancia del mercado acceso al código fuente del sistema de IA para evaluar la conformidad del sistema de IA de alto riesgo con los requisitos establecidos en el título III, capítulo 2.

3. Las autoridades u organismos públicos nacionales encargados de supervisar o hacer respetar las obligaciones contempladas en el Derecho de la Unión en materia de protección de los derechos fundamentales con respecto al uso de sistemas de IA de alto riesgo mencionados en el anexo III tendrán la facultad de solicitar y acceder a cualquier documentación creada o conservada con arreglo al presente Reglamento...".

---

16. *vid*. Punto 3. del Memorando Explicativo de la propuesta de Reglamento de IA en la Unión Europea.

Por su parte, el artículo 70 (de la propuesta de Reglamento de la Unión Europea sobre IA) precisa, al respecto, que las autoridades nacionales competentes y los organismos notificados respetarán la confidencialidad de la información y los datos obtenidos en el ejercicio de sus funciones, de forma que queden protegidos los derechos de propiedad intelectual y la información empresarial confidencial o los secretos comerciales de una persona física o jurídica, incluido el código fuente.

La solución que arbitra la propuesta de Reglamento de la UE sobre IA es, sin duda, interesante, para solucionar los conflictos que puedan surgir, por ejemplo, en el seno de un procedimiento administrativo o judicial, en casos como el que planteamos en el siguiente apartado (el programa BOSCO), donde un tercero solicita el acceso al código fuente. La solución pasa, por tanto, por dar acceso a una autoridad nacional, de supervisión y vigilancia, en el sector de la IA, para que sea ésta, en su caso, la que pueda evaluar, a través del código fuente del sistema de IA, y del conjunto de datos y documentación, si se cumplen todos los requisitos exigidos a los sistemas de IA y si se respetan, por tanto, los derechos fundamentales; ponderándose de esta forma el derecho a la transparencia y la propiedad intelectual y los secretos comerciales. Otros abogan por dar un acceso total al código fuente[17].

2.2. EL BONO SOCIAL ELÉCTRICO Y EL PROGRAMA BOSCO

Tras recibir numerosas llamadas de personas que aparentemente cumplían los requisitos para ser beneficiarias del bono social eléctrico (una ayuda en forma de descuento en la factura eléctrica, por ser considerado consumidor vulnerable o en riesgo de exclusión), una fundación, la fundación Civio, solicitó, el 17 de septiembre de 2018, a través del Portal de Transparencia (al amparo de la Ley 19/2013, 9 diciembre, de transparencia, acceso a la información pública y buen gobierno [RCL 2013, 1772] –en adelante, Ley de Transparencia–) información sobre la aplicación telemática del bono social, que permite al comercializador de electricidad de referencia (empresas eléctricas) comprobar que el solicitante cumple los requisitos para acceder al bono social. Se trata del programa BOSCO, una aplicación creada y desarrollada por la Administración Pública que utilizan las compañías eléctricas para otorgar o denegar la ayuda del bono social de la luz.

---

17. *vid.* DE LA CUEVA, J.: "Datos, Derecho y nuevas tecnologías: privacidad y publicidad", en *El Notario del siglo XXI*, n.° 77, 2018, y resoluciones de la Comisión de Garantía del Derecho de Acceso a la Información Pública en Cataluña (GAIP), citado por PONCE SOLE, J.: "Inteligencia artificial, Derecho Administrativo,...", op. cit., pp. 34 y 43.

En concreto, Civio solicita a través del Portal de Transparencia:

1. La especificación técnica de dicha aplicación.

2. El resultado de las pruebas realizadas para comprobar que la aplicación implementada cumple con la especificidad funcional.

3. El código fuente de la aplicación.

4. Cualquier otro entregable que permita conocer el funcionamiento de la aplicación.

Ante esta solicitud, el Ministerio de Transición Ecológica no contesta (silencio administrativo).

Con base en el artículo 24 de la Ley 19/2013 [RCL 2013, 1772], el 27 de noviembre de 2018, el reclamante (Fundación Civio) presenta una Reclamación ante el Consejo de Transparencia y Buen Gobierno[18]. El Consejo de Transparencia[19] da traslado al Ministerio de Transición Ecológica para que haga las alegaciones que considere oportunas antes de resolver. Dicho Ministerio no se considera competente, ya que el fondo del asunto no es de materia energética, sino de especificaciones técnicas, pruebas y código fuente de una aplicación informática, y da traslado al Ministerio de Industria, Comercio y Turismo. La Subdirección General de Tecnologías de la Información y Comunicaciones (que a su vez solicitó un informe a la Subdirección General de Administración Digital) consideró:

1. Denegar el acceso a las especificaciones técnicas de la Ley de Transparencia, dado que en éstas se incluyen todos los requisitos de seguridad para proteger la información frente a ataques y vulneraciones (artículo 14.a) y d) de la Ley de Transparencia [RCL 2013, 1772]).

2. Denegar el acceso al código fuente porque, en aplicación del artículo 13 de la Ley de Transparencia [RCL 2013, 1772], el código fuente no son ni "documentos" ni "contenidos" sino programas informáticos.

3. Que en aplicación del artículo 14.1. de la Ley de Transparencia [RCL 2013, 1772], el acceso a la información puede ser limitado: cuando suponga un perjuicio para la seguridad pública (letra d) y esté

---

18. Esta reclamación tiene la naturaleza jurídica de recurso administrativo. En concreto, se trata de un procedimiento de impugnación de actos administrativos previsto por ley sectorial –en este caso, artículos 23 y 24.2. de la Ley de Transparencia [RCL 2013, 1772]–, sustitutivo de los recursos administrativos de alzada y reposición, *vid*. Art. 112.2. Ley 39/2015, 1 de octubre, de Procedimiento Administrativo Común de las Administraciones Públicas [RCL 2015, 1477].

19. Resolución 701/2018 del Consejo de Transparencia y Buen Gobierno; S/REF: 001-028612; N/REF: R/0701/2018; 100-001932; Fecha: 18 de febrero de 2019.

protegido por el secreto profesional y la propiedad intelectual e industrial (letra j). Se considera, por tanto, que la divulgación de la información requerida supondría un perjuicio para la seguridad pública.

4. Que la aplicación permite a los comercializadores de electricidad realizar las comprobaciones pertinentes, incluidos los datos de las rentas de las personas físicas que hayan solicitado el bono social y otras circunstancias como ser persona con discapacidad, víctima de violencia de género o terrorismo, incluso informaciones relativas a menores de edad; por lo tanto, entiende que se estaría violando la privacidad y los datos personales de estas personas.

5. Que el acceso a esta documentación, especificaciones técnicas y código fuente, supondría dar detalles del programa y de sus vulnerabilidades, incluso la posibilidad de sufrir ataques informáticos.

6. Además, supondría un perjuicio para la propiedad intelectual. Entienden que tanto las especificaciones técnicas, como el código fuente y los resultados de las pruebas de funcionamiento se encuentran protegidos por la propiedad intelectual. Se trata de una aplicación creada y desarrollada por la Administración Pública. Estas aplicaciones se comunican a un repositorio general al que no tiene acceso el sector privado.

En función de todo lo anterior, se propone la denegación de la información.

El Consejo de Transparencia (que resuelve la reclamación) se pronuncia sobre distintas cuestiones formales, y procedimentales, y sobre asuntos sustantivos sobre los que nos detendremos:

1. Se pronuncia sobre la naturaleza jurídica del código fuente y entiende que está protegido por el derecho de autor como obra literaria, pero entiende que el derecho de propiedad intelectual no comprende ni las especificidades técnicas del programa ni el resultado de las pruebas realizadas para comprobar que la aplicación implementada cumple con la especificidad funcional. En concreto:

"El código fuente es el archivo o conjunto de archivos que tienen un conjunto de instrucciones muy precisas, basadas en un lenguaje de programación, que se utiliza para poder compilar los diferentes programas informáticos que lo utilizan y se puedan ejecutar sin mayores problemas. Los usuarios pueden usar el software sin mayores preocupaciones gracias a una interfaz gráfica sencilla que se basa en el desarrollo del código fuente. El usuario no necesita saber el lenguaje de programación utilizado para desarrollar un determinado software. El software ha sido extraordinariamente difícil de clasificar como materia específica de propiedad intelectual debido a que su doble naturaleza plantea problemas particulares para quienes tratan de establecer analogías con las categorías jurídicas existentes. Esta es la razón por la que ha habido intentos de clasificarlo como objeto de derechos de autor, de patentes o de secretos comerciales, e incluso como un derecho *sui géneris* de software. Puesto que el código fuente se expresa de forma escrita, resulta lógico pensar que el software puede ser protegido por el derecho de autor como obra literaria. Este es, en efecto, el enfoque vigente respecto de la protección del software en diversos tratados internacionales. Así, por ejemplo, el artículo 4 del Tratado de la OMPI sobre Derecho de Autor (WCT), el artículo 10 del Acuerdo sobre los ADPIC de la Organización Mundial del Comercio y el artículo 1 de la Directiva (91/250/CEE) del Consejo Europeo sobre la protección jurídica de programas de ordenador [LCEur 1991, 475] equiparan el software con las obras literarias, protegidas por el derecho de autor. A efectos de la Directiva, el término '*programa de ordenador*' incluye programas en cualquier forma, incluso los que están incorporados en el '*hardware*'; este término designa también el trabajo preparatorio de concepción que conduce al desarrollo de un programa de ordenador, siempre que la naturaleza del trabajo preparatorio sea tal que más tarde pueda originar un programa de ordenador. Este derecho de propiedad intelectual contemplado en la Directiva no comprende, sin embargo, las especificaciones técnicas del programa ni el resultado de las pruebas realizadas..."[20].

2. Entiende que, en modo alguno, conocer las especificaciones técnicas de una aplicación informática implica, ni directa ni indirectamente, acceder a los datos personales que después se vaya a incluir

---

20. Observamos, que La Directiva 91/250/CEE del Consejo Europeo, sobre protección jurídica de programas de ordenador [LCEur 1991, 475] ha sido derogada por la Directiva 2009/24/CE del Parlamento Europeo y del Consejo, de 23 de abril de 2009, sobre la protección jurídica de programas de ordenador [LCEur 2009, 621], en la que se dice "De acuerdo con este principio de derechos de autor, en la medida en que la lógica, los algoritmos y los lenguajes de programación abarquen ideas y principios, estos últimos no están protegidos con arreglo a la presente Directiva". También sorprende que la Fundamentación Jurídica de la Reclamación no cite la Ley española de Propiedad Intelectual (Texto Refundido por el que se aprueba el Real Decreto Legislativo 1/1996 [RCL 1996, 1382]) y, en concreto, el artículo 96 sobre la propiedad intelectual de los programas de ordenador. Si bien referida al ámbito privado, citamos la Sentencia de la Sala Primera del Tribunal Supremo, de 17 de mayo de 2003 (núm. 492/2003) [RJ 2003, 3817] en la que existe un conflicto entre desarrollador y cliente, en el que se discute la obligación de la entrega del código fuente para realizar modificaciones para adaptarlo a

en la misma, y que el resultado de las pruebas, que también se solicita, no debe incluir, en ningún caso, datos personales reales, sino simplemente estadísticas sobre la eficacia del sistema.

Por lo anterior expuesto, el Consejo de Transparencia y Buen Gobierno, estima parcialmente la petición y concede un plazo de diez días al Ministerio de Transición Ecológica para que remita al reclamante toda la información solicitada (especificación técnica, resultado de las pruebas y cualquier otro entregable) salvo el código fuente que entiende que está protegido por propiedad intelectual (artículo 14.1.j) de la Ley de Transparencia [RCL 2013, 1772]).

La fundación Civio, no conforme con la resolución de la Reclamación interpuso recurso contencioso-administrativo, el 20 de junio de 2019, ante la Jurisdicción Contencioso-Administrativa. Recurso que, todavía, no ha sido resuelto.

3. BIENESTAR SOCIAL Y AMBIENTAL. SOSTENIBILIDAD Y RESPETO AL MEDIO AMBIENTE. IMPACTO SOBRE LA SOCIEDAD Y LA DEMOCRACIA

Sostenibilidad y respeto al medio ambiente

Los sistemas de IA también deberían utilizarse para hacer frente a temas que suscitan preocupación a escala mundial, como los Objetivos de Desarrollo Sostenible[21]. Lo ideal es que la IA se utilice en beneficio de todos los seres humanos, incluidas las generaciones futuras.

Por ello, en necesario introducir medidas para reducir el impacto ambiental en los sistemas de IA, a lo largo de todo su ciclo de vida. Es necesario evaluar el consumo de energía, así como el tipo de energía utilizada por los sistemas de IA[22].

Impacto sobre la sociedad

Aunque los sistemas de IA pueden mejorar competencias sociales (por ejemplo, un robot de conversación para personas que viven solas, o un

---

las necesidades del usuario y actualizarlo. El programa se había encargado "a medida" y la Sala concluye que procede la entrega del código fuente al "cliente".

21. Sobre esta materia, *vid.* MONTES, R.; MELERO, F. J.; PALOMARES, I.; ALONSO, S.; CHIACHÍO, J.; CHIACHÍO, M.; MOLINA, D.; MARTÍNEZ-CÁMARA, E.; TABIK, S.; HERRERA, F.: *Inteligencia Artificial y Tecnologías Digitales para los ODS.* Publicación de la Real Academia de Ingeniería, enero, 2021.

22. *Directrices éticas para una IA fiable.* Grupo de expertos de alto nivel sobre inteligencia artificial, creado por la Comisión Europea, 2019, pp. 23, 24 y 40.

robot que interactúa con niños autistas en sesiones de terapia dirigidas por humanos, que puede ayudar a mejorar sus aptitudes sociales y de comunicación) también puede deteriorarlas, afectando al bienestar físico y mental de las personas (que pueden llegar a desarrollar vínculos afectivos con dichos sistemas). También hay que evaluar el impacto que puede tener la implantación de un sistema de IA, por ejemplo, en la pérdida de puestos de trabajo. Hay que prever qué actuaciones será conveniente poner en marcha para contrarrestar dicho riesgo.

Por todo ello, es necesario medir con precisión el impacto social de los sistemas de IA y hacer, en todo caso, un seguimiento exhaustivo de dichos efectos[23].

Impacto sobre la democracia

Además de evaluar el impacto que ejerce el desarrollo, despliegue y utilización de un sistema de IA sobre las personas, también se debe evaluar la repercusión sobre la sociedad en su conjunto y sus instituciones. El uso de los sistemas de IA debe estudiarse y evaluarse, especialmente, en el terreno de la adopción de decisiones políticas y en los procesos electorales[24].

4. RENDICIÓN DE CUENTAS. AUDITABILIDAD, MINIMIZACIÓN DE EFECTOS NEGATIVOS Y COMPENSACIONES

El requisito de la rendición de cuentas está estrechamente relacionado con el principio de equidad. Este requisito exige establecer mecanismos que permitan garantizar la responsabilidad y la rendición de cuentas sobre los sistemas de IA y sus resultados, tanto antes de su implementación como después.

La auditabilidad se refiere a la capacidad de un sistema de IA de someterse a la evaluación de sus algoritmos, datos y procesos de diseño[25].

---

23. *Directrices éticas para una IA fiable.* Grupo de expertos de alto nivel sobre inteligencia artificial, creado por la Comisión Europea, 2019, pp. 23, 24 y 40.

24. *Directrices éticas para una IA fiable.* Grupo de expertos de alto nivel sobre inteligencia artificial, creado por la Comisión Europea, 2019, pp. 23, 24 y 40. Sobre esta cuestión, *vid.* O'NEIL, C.: *Weapons of math destruction: How big data increases inequality and threatens democracy.* Broadway Books. 2016. CASTELLANOS CLARAMUNT, J.: "La democracia algorítmica: inteligencia artificial, democracia y participación política", en *Revista General de Derecho Administrativo*, n.º 50, 2019; SUÁREZ-GONZALO, S.: "Tus likes, ¿tu voto? Explotación masiva de datos personales y manipulación en la campaña electoral de Donald Trump a la presidencia de EEUU 2016", en *Quaderns del CAC*, n.º 44, 2018.

25. *vid.* KROLL, J. A.; HUEY, J.; BAROCAS, S.; FELTEN, E. W.; REIDENBERG, J. R.; ROBINSON, D. G., & YU, H.: "Accountable algorithms", *University of Pennsylvania Law Review*, 165 (3), 2017, pp. 633–705. https://scholarship.law.upenn.edu/

Esto no implica necesariamente que siempre deba disponerse de forma inmediata de la información sobre los modelos de negocio y la propiedad intelectual del sistema de IA. La auditabilidad implica establecer auditorías externas e internas que, entre otros extremos, garanticen la trazabilidad y registro de los procesos y resultados del sistema IA. El hecho de garantizar la existencia de mecanismos de trazabilidad y registro desde las primeras fases de diseño del sistema de IA puede favorecer la auditabilidad del sistema[26].

En Estados Unidos a mediados de 2019 los senadores Cory BOOKER y Ron WYDEN presentaron la Ley de responsabilidad algorítmica, un proyecto de ley que requeriría los algoritmos utilizados por compañías que ganan más de 50 millones de dólares al año o que retengan información de al menos 1 millón de usuarios para evaluar sesgos. Lo interesante de esta medida es que la auditoría exige un análisis en tres partes: (i) del proceso de diseño del algoritmo en sí mismo;(ii) de los datos utilizados para entrenarlo y para obtener los resultados; y (iii) de los resultados mismos.

De hecho, el Estado de Washington, ya está adoptando medidas que protejan a los ciudadanos de los sistemas de decisiones automatizadas utilizados por el Estado o sus agencias públicas. El argumento principal para el establecimiento de esta nueva regulación es que el uso de estos sistemas de decisiones automatizadas sin transparencia, supervisión o las salvaguardas adecuadas puede socavar el funcionamiento del libre mercado, perjudicar a los consumidores y negar a los grupos históricamente desfavorecidos o vulnerables la plena protección de sus derechos y libertades[27].

La Ley de la Ciudad de New York[28], n.° 49 de 2018, creó un Grupo de Trabajo de Sistemas de Decisión Automatizados para monitorear los algoritmos utilizados por las agencias municipales, y ordenó al Grupo de Trabajo que proporcionara recomendaciones para el otoño de 2019 sobre

---

penn_law_review/vol165/iss3/3; REISMAN, D., SCHULTZ, J., CRAWFORD, K., & WHITTAKER, M.: *Algorithmic impact assessments: A practical framework for public agency accountability*. AI Now Institute, 2018.

26. *Directrices éticas para una IA fiable*. Grupo de expertos de alto nivel sobre inteligencia artificial, creado por la Comisión Europea, 2019, p. 24

27. *vid.* http://lawfilesext.leg.wa.gov/biennium/2021-22/Pdf/Bills/Senate%20Bills/5116-S.pdf. An Act: "Relating to establishing guidelines for government procurement and use of automated decision systems in order to protect consumers, improve transparency, and create more market predictability".

28. Esta ley tiene como título: "*Local Law 49 of 2018 in relation to automated decision systems used by agencies*".

cómo hacer que los algoritmos utilizados por la ciudad de New York sean más justos y más transparente[29].

En relación a la necesidad de realizar auditorías en los sistemas IA traemos a colación un estudio sobre la utilización de IA en la selección de personal. En dicho estudio, los autores analizan los efectos de las nuevas tendencias en IA y algoritmos en el ámbito de los Recursos Humanos. Se analiza las implicaciones del análisis video-entrevista y la clasificación de candidatos, incluidas las minorías. Del análisis de datos se pueden extraer características de los candidatos (sus rasgos físicos, su belleza, su raza, su identidad sexual, en control de sus emociones...). El análisis de estos datos plantea una serie de problemas éticos y legales. Se sostiene que es necesaria una auditoría externa y neutral para el tipo de análisis sobre los datos extraídos de las entrevistas. Se propone una arquitectura de software para dichas auditorías[30].

Evaluaciones de conformidad y certificaciones

Debido a que no todas las personas pueden comprender, plenamente, el funcionamiento y lo efectos de los sistemas de IA, el documento de *Directrices éticas para una IA fiable* propone que sería conveniente contar con organizaciones que puedan acreditar ante el público que un sistema de IA es transparente, responsable y equitativo. Estas organizaciones podrían emitir unas certificaciones, que aplicarían normas desarrolladas para diferentes ámbitos de aplicación y técnicas de IA, convenientemente alineadas con las normas industriales y sociales del contexto específico de que se trate; no obstante, esta certificación nunca podría sustituir a la responsabilidad[31]. Las certificaciones, además de estar conectada con el requisito de rendición de cuentas tiene, también, una amplia conexión con el principio de transparencia.

En este sentido, la Estrategia Española de I+D+I en Inteligencia Artificial establece:

"Cualquier institución (pública o privada) que decida gestionar, reutilizar y explotar sus datos con técnicas de IA necesita de una

---

29. Sobre los escasos resultados de esta Ley local https://foundationsoflawand society.wordpress.com/2020/12/08/nyc-local-law-49-a-first-attempt-at-regulating-algorithms/.

30. *vid.* FERNÁNDEZ MARTÍNEZ, C. y FERNÁNDEZ, A.: "Ethical and Legal Implications of AI Recruiting Software", 22 January 2019, https://ercim-news.ercim.eu/en116/special/ethical-and-legal-implications-of-ai-recruiting-software; FERNÁNDEZ-MARTÍNEZ, C. and FERNÁNDEZ, A: "AI and recruiting software: Ethical and legal implications", De Gruyter, Published online: May 28, 2020, DOI: https://doi.org/10.1515/pjbr-2020-0030.

31. *Directrices éticas para una IA fiable.* Grupo de expertos de alto nivel sobre inteligencia artificial, Creado por la Comisión Europea, 2019, p. 28.

estructura organizativa, un ecosistema digital y legal, que certifique todo el ciclo de vida del dato, y que va más allá del dato en sí y de la plataforma física que lo alberga. Adicionalmente, la gestión de los datos abiertos procedentes de las Administraciones requiere de una transparencia en la planificación, gobernanza, puesta en marcha y mantenimiento de los procesos y procedimientos que generan datos, las infraestructuras físicas y los procesos y aplicaciones que lo utilizan con fines específicos, incluyendo, entre otras, las siguientes funciones:

1. Transparencia y certificación de la gobernanza de todo el ecosistema digital;

2. Procesos de certificación a lo largo de todo el ciclo de vida del dato, especialmente cuando. (i) el dato abierto se "entrega" a un tercero para su uso y explotación, o (ii) un ciudadano, empresa o sistema software desea verificar si un dato de la Administración proporcionado por un tercero es correcto y está actualizado. El objeto es evitar el *spam* en los datos o los *fake data* de datos del sector público"[32].

Por otra parte, distintos países han diseñado un marco de certificaciones de los sistemas de IA.

Malta ha tomado un liderazgo mundial en el desarrollo de un marco regulatorio y de certificación para arreglos de tecnologías innovadoras mediante la configuración de la Autoridad de innovación digital de Malta y la creación de la ley de tecnologías y servicios innovadores[33]. La Autoridad de Innovación Digital de Malta (MDIA) ha desarrollado un marco de certificación que tiene como objetivo proporcionar un mecanismo estándar para generar confianza y transparencia entre los usuarios, consumidores y partes interesadas más amplias en las ATI (*Advanced Technologies for Industry*)[34].

La autoridad responsable de gestionar la solicitud de certificación de acuerdos y servicios de tecnología innovadora es la Autoridad de Innovación Digital de Malta (la MDIA), establecida en virtud de la Ley MDIA de 2018. El proceso de certificación se basará en gran medida en el Marco de IA Ética de Malta, que se alinea y se basa en los marcos éticos de la UE y la OCDE. La certificación será emitida por MDIA, el regulador nacional responsable de las políticas gubernamentales y la regulación sobre

---

32. Estrategia española de I+D+I en Inteligencia Artificial. Ministerio de Ciencia, Innovación y Universidades, 2019, p. 89.

33. *vid. Act is the Innovative Technology Arrangements and Services Act*, 2018, ITAS Act.

34. *vid.* http://www.bridgingtheweek.com/ckfinder/userfiles/files/The%20Innovative%20Technology%20Arrangements%20and%20Services%20Act.pdf.

tecnologías emergentes, incluido el desarrollo y aplicación de estándares para el cumplimiento de las obligaciones locales e internacionales. El proceso de certificación de IA de MDIA incluirá un proceso de evaluación detallado llevado a cabo por auditores de sistemas independientes aprobados por MDIA que revisarán los marcos de control vigentes para lograr una IA ética y confiable[35].

Finlandia también anunció, en 2018, un programa de certificación de ética para sistemas autónomos e inteligentes. Un sistema para promover la transparencia, la rendición de cuentas y la reducción del sesgo algorítmico en los sistemas autónomos e inteligentes. El ECPAIS (Programa de Certificación de Ética para Sistemas Autónomo e Inteligentes) establece uno de los primeros programas del mundo dedicados a la creación de un proceso de certificación IA y una metodología de marcado respaldado por una organización de desarrollo de estándares globales[36].

La certificación, también es conocida en el contexto del Reglamento General de Protección de Datos (RGPD) [LCEur 2016, 605]. El RGPD [LCEur 2016, 605] establece en el artículo 42 la posibilidad de desarrollar mecanismos de certificación específicos en materia de protección de datos y de sellos y marcas de protección de datos como herramientas para demostrar el cumplimiento del RGPD [LCEur 2016, 605][37], también cuando las entidades que desarrollen sistemas de IA traten datos personales. Por otra parte, el artículo 35 de dicho Reglamento [LCEur 2016, 605] se refiere a la obligación de realizar una evaluación de impacto relativa a datos personales, cuando hay alto riesgo de afectación a los derechos y libertades de las personas, especialmente cuando se utilicen nuevas tecnologías, como la IA.

La propuesta de Reglamento de la UE sobre IA regula, en este contexto, las evaluaciones de conformidad, los certificados (certificaciones) de los

---

35. *vid. Towards Trustworthy AI*, Malta Ethical AI Framework, october, 2019, p. 35.

36. *vid.* Comunicado de prensa, IEEE, (Institute of Electrical and Electronics Engineers), IEEE Launches Ethics Certification Program for Autonomous and Intelligent Systems (2 de octubre de 2018), https://standards.ieee.org/news/2018/ieee-launches-ecpais. html, archivado en https://perma.cc/3WBR-VJ6U. *vid.* también, "The Ethics Certification Program for Autonomous and Intelligent Systems (ECPAIS)", IEEE Standards Association, https://standards.ieee.org/industry-connections/ecpais.html; https://ainowinstitute.org/AI_Now_2018_Report.pdf.

37. *vid.* artículo 42 RGPD [LCEur 2016, 605]: "Los Estados miembros, las autoridades de control, el Comité y la Comisión promoverán, en particular a nivel de la Unión, la creación de mecanismos de certificación en materia de protección de datos y de sellos y marcas de protección de datos a fin de demostrar el cumplimiento de lo dispuesto en el presente Reglamento en las operaciones de tratamiento de los responsables y los encargados. Se tendrán en cuenta las necesidades específicas de las microempresas y las pequeñas y medianas empresas".

órganos notificados y las autorizaciones de vigencia parcial de las autoridades nacionales de vigilancia de mercado.

Antes de su introducción en el mercado o puesta en servicio, los sistemas de IA de alto riesgo deben someterse a una evaluación de la conformidad que garantice que son altamente fiables.

La evaluación de la conformidad se define de la siguiente forma: "Evaluación de la conformidad": el proceso por el que se verifica si se cumplen los requisitos establecidos en el título III, capítulo 2, del presente Reglamento en relación con un sistema de IA.

Hay varios procedimientos de evaluación de la conformidad. Unos sistemas IA requieren una evaluación de la conformidad que puede consistir en un control interno (hecho por el propio proveedor) sin intervención de un organismo notificado y otros que requieren la intervención de un organismo notificado; es decir, requieren que la evaluación de la conformidad sea certificada por un tercero, independiente (el organismo notificado). Los sistemas IA incluidos en los puntos 2 a 8 del anexo III de la propuesta de Reglamento no requieren la participación de organismo notificado; sin embargo, la identificación biométrica remota "en tiempo real o en diferido" de personas físicas sí la requiere. Por otra parte, los sistemas IA de alto riesgo que estén conforme con normas armonizadas de la Unión se presume que cumplen con los requisitos exigidos a dichos sistemas en la medida que dichas normas prevean estos requisitos. La propuesta de nuevo Reglamento de Máquinas de la UE, por su parte, establece que cuando las máquinas, y sus partes y accesorios, contengan un sistema de Inteligencia Artificial dicho Reglamento de Máquinas solo se aplicará, en relación a dicho sistema de Inteligencia Artificial, en lo que respecta a su integración segura en la máquina completa, a fin de no comprometer la seguridad del conjunto en su conjunto; es decir, se aplicará, con carácter general, el Reglamento de IA, ya que contiene requisitos de seguridad específicos para dichos sistemas. De esta forma:

> "el software que desempeñe funciones de seguridad en las máquinas y sus partes y accesorios mediante el uso de inteligencia artificial, esté integrado o no en el producto, deberá clasificarse como un producto de alto riesgo debido a las características de la inteligencia artificial...Por tanto, la evaluación de la conformidad del software que desempeñe funciones de segridad mediante el uso de inteligencia artificial deberá ser realizada por un tercero"[38].

---

38. *vid.* Propuesta de Reglamento del Parlamento Europeo y del Consejo relativo a las máquinas y sus partes y accesorios, 2021/0105 (COD), artículo 9 y Memorando explicativo 19, 29 y 45.

Hay ocasiones, además, donde, las autoridades nacionales de vigilancia de mercado, que se creen en este ámbito, podrán autorizar la introducción en el mercado o puesta en servicio del sistema IA de alto riesgo, por razones excepcionales, de seguridad pública o con el fin de proteger la vida y la salud de las personas, el medio ambiente y activos fundamentales de las industrias e infraestructuras. En estos casos, la autorización tendrá una vigencia parcial, hasta que se obtenga la evaluación de conformidad[39].

En relación a lo anterior, concretamos: un organismo de evaluación de la conformidad es un organismo independiente que desempeña actividades de evaluación de la conformidad, entre las que figuran la prueba, la certificación y la inspección. Un organismo notificado es un organismo de evaluación de la conformidad que es designado (autorizado) por una autoridad notificante (y emiten certificados de conformidad). Una autoridad notificante es la autoridad nacional responsable de establecer y llevar a cabo los procedimientos necesarios para la evaluación, designación y notificación de los organismos de evaluación de la conformidad, así como de su seguimiento. La autoridad nacional de vigilancia y supervisión (o autoridad de vigilancia de mercado) es la autoridad a la que un Estado miembro asigna la responsabilidad de ejecutar y aplicar el Reglamento sobre IA, coordinar las actividades encomendadas a dicho Estado miembro, actuar como el punto de contacto único para la Comisión, y representar al Estado miembro en cuestión ante el Comité Europeo de Inteligencia Artificial[40].

Minimización de efectos negativos y búsqueda de equilibrios

Para mitigar los posibles efectos negativos de los sistemas de IA resulta necesario realizar evaluaciones de impacto. Estas evaluaciones deben ser proporcionadas al riesgo que planteen los sistemas de IA, en relación a los principios éticos, incluidos los derechos fundamentales. Es importante buscar un equilibrio entre los intereses que se persiguen con el sistema de IA y los eventuales daños que dicho sistema pueda producir y cuando no sea posible conciliarlos, desde el punto de vista ético, no se debería continuar con el desarrollo, despliegue y utilización del sistema IA en la forma prevista[41].

---

39. *vid.* entre otros, Memorando explicativo, números 63 y 64 y artículos 40, 43 y 47 de la propuesta de Reglamento de la Unión Europea sobre la IA.

40. *vid.* artículo 3 (definiciones) de la Propuesta de Reglamento de la Unión Europea sobre IA. Y artículo 44 de la misma sobre los certificados.

41. *Directrices éticas para una IA fiable.* Grupo de expertos de alto nivel sobre inteligencia artificial, creado por la Comisión Europea, 2019, pp. 24 y 25.

En relación a lo anterior, el RGPD [LCEur 2016, 605] obliga a realizar una evaluación de impacto cuando el tratamiento de datos entrañe un alto riesgo para los derechos y libertades de las personas físicas[42].

Compensaciones

No obstante, lo anterior, en el caso de que se produzca cualquier tipo de daño o efecto adverso debe establecerse un conjunto de mecanismos adecuados que permitan obtener una compensación adecuada. El hecho de saber que se podrá obtener una reparación si las cosas no salen según lo previsto es crucial para garantizar la confianza.

A diferencia del RGPD [LCEur 2016, 605], la propuesta de Reglamento de la Unión Europea sobre IA no incluye ninguna disposición relativa al derecho a recibir una indemnización cuando el sistema de IA infrinja lo previsto en el propio Reglamento. Sin perjuicio de que se pueda aplicar lo dispuesto en el RGPD [LCEur 2016, 605], a los sistemas de IA, la ausencia de regulación se corresponde con el objetivo de reconducirlo al ámbito de la responsabilidad civil. En este sentido, la Comisión Europea ha manifestado su intención de revisar la Directiva sobre responsabilidad por los daños causados por productos defectuosos para adaptarla a las exigencias de las nuevas tecnologías, incluida la IA[43].

---

42. *vid.* artículo 35 RGPD [LCEur 2016, 605]: "Cuando sea probable que un tipo de tratamiento, en particular si utiliza nuevas tecnologías, por su naturaleza, alcance, contexto o fines, entrañe un alto riesgo para los derechos y libertades de las personas físicas, el responsable del tratamiento realizará, antes del tratamiento, una evaluación del impacto de las operaciones de tratamiento en la protección de datos personales. Una única evaluación podrá abordar una serie de operaciones de tratamiento similares que entrañen altos riesgos similares...".

43. *vid.* arts. 82 y ss. del RGPD [LCEur 2016, 605]. *vid.* también, documento de la Comisión Europea *Fostering a European approach to Artificial Intelligence*, COM (2021).

Capítulo V

Marco de protección frente a los riesgos y daños de la Inteligencia Artificial

1. EL SISTEMA DE PROTECCIÓN FRENTE A LOS RIESGOS Y DAÑOS QUE PUEDEN CAUSAR LOS SISTEMAS DE INTELIGENCIA ARTIFICIAL ES UN SISTEMA INACABADO

El sistema actual de protección frente a los riesgos y daños que pueden causar los sistemas de Inteligencia Artificial es un sistema inacabado. Sin duda, el Reglamento de la Unión Europea sobre IA, que será aprobado, definitivamente, en unos meses, fortalecerá dicho sistema de protección. A dicho Reglamento pueden sucederle leyes nacionales sobre IA (a semejanza de lo ocurrido con el RGPD [LCEur 2016, 605]) e, incluso, normas sectoriales que terminarán por cerrar el círculo de protección.

Pero, ¿por qué decimos que el sistema actual es un sistema inacabado? Porque resulta insuficiente. Como bien explica SORIANO ARNANZ, las Directivas sobre Igualdad, que concretan los postulados de la Carta Europea de Derechos Fundamentales [LCEur 2000, 3480], tienen un ámbito de protección limitado. Así, por ejemplo, "la prohibición de discriminación en el acceso a bienes y servicios se aplica, únicamente, por razón de la raza o género y no así por razón de las restantes categorías sospechosas. Asimismo, no se incluye la publicidad en el ámbito de aplicación de la Directiva relativa a la igualdad de hombres y mujeres en el acceso a bienes y servicios. Por su parte, la protección frente a la discriminación por razón de religión, convicciones, edad, orientación sexual y discapacidad únicamente tiene lugar en el ámbito del empleo". Y, en relación a la protección de datos, el RGPD [LCEur 2016, 605] se centra en una protección individual, situando una serie de cargas sobre las personas cuyos datos son procesados. Muchas veces las personas tienen que elegir entre acceder a un servicio, a costa de ofrecer sus datos, o no acceder. Si tenemos en cuenta que el acceso a redes sociales y plataformas digitales implica, muchas veces, precisamente eso (elegir entre ofrecer tus datos o quedarte sin acceso) esa libertad queda seriamente mermada. Por otra parte, la protección se centra, sobre todo, en los datos introducidos en los sistemas (en la corrección y precisión de los datos introducidos inicialmente en el sistema y la forma en la que son procesados) y no tanto en los resultados obtenidos. Además, siguiendo con SORIANO ARNANZ, "la elaboración de códigos de conducta y mecanismos de certificación no requiere de la participación de terceros interesados (asociaciones o personas físicas) ya que el RGPD [LCEur 2016, 605] únicamente prevé la participación de asociaciones y otros organismos que representen a responsables y encargados del tratamiento de datos y de las autoridades relevantes"[1]. Más bien se realiza una autorregulación, a través de certificaciones y sellos, que parece incompatible con una intervención pública para la regulación del sector[2] y "no se está realizando un seguimiento de la correcta implementación de las evaluaciones de impacto que deben ser llevadas a cabo de manera obligatoria cuando se utilicen sistemas de procesamiento de datos que generen riesgos significativos para los derechos y libertades fundamentales"[3].

2. LA PROPUESTA DE REGLAMENTO DE LA UNIÓN EUROPEA SOBRE INTELIGENCIA ARTIFICIAL

2.1. CONTEXTO GENERAL Y PRINCIPALES APORTACIONES

En este contexto, en el de avanzar y perfeccionar un sistema de protección frente a los riesgos y los daños que puedan provocar los sistemas de IA, surge la propuesta de Reglamento de la UE sobre IA, que se sustenta, en un amplio trabajo preparatorio que comenzó en 2018 con la creación de un grupo de expertos de alto nivel (cuyas aportaciones se reflejaron en el documento Directrices Éticas para una IA fiable), así como en el Libro Blanco sobre IA[4], que aborda los problemas derivados de su desarrollo y utilización, y en un amplio debate y diálogo con interlocutores sociales, académicos y expertos, organizaciones no gubernamentales, Estados miembros y ciudadanos[5].

---

1.   *vid.* SORIANO ARNANZ, A.: "Decisiones...", op. cit., pp. 29, 30, 34, 35, 36 y 37.
2.   *vid.* SANCHO LÓPEZ, M.: "Estrategias legales para garantizar los derechos fundamentales frente a los desafíos del Big Data", en *Revista General de Derecho Administrativo*, n.° 50, 2019, p. 8. En concreto, el artículo 42.3. del RGPD [LCEur 2016, 605] especifica que dichas certificaciones serán voluntarias.
3.   *vid.* SORIANO ARNANZ, A.: "Decisiones...", op. cit., pp. 29, 30, 34, 35, 36 y 37.
4.   https://ec.europa.eu/info/sites/default/files/commission-white-paper-artificial-intelligence-feb2020_es.pdf.
5.   *vid.* Exposición de Motivos, 3.2. de la Propuesta de Reglamento Unión Europea sobre IA.

La base jurídica de la propuesta de Reglamento sobre IA se encuentra en el artículo 114 del Tratado de Funcionamiento de la Unión Europea (TFUE) [RCL 2009, 2300] relativo a la adopción de medidas que garanticen el establecimiento y el funcionamiento del mercado interior. En definitiva, con la propuesta de Reglamento, se trata de ofrecer unas normas armonizadas que eviten la fragmentación del mercado interior y garanticen la seguridad de los operadores, en relación a los sistemas de IA. Se persiguen varios fines: asegurar un nivel elevado de protección de la salud, la seguridad y los derechos humanos, garantizar la libre circulación transfronteriza de bienes y servicios basados en IA, con lo que impide que los Estados miembros impongan restricciones al desarrollo, la comercialización y la utilización de sistemas IA, a menos que el propio Reglamento lo autorice expresamente[6].

La propuesta de Reglamento se presenta como un complemento del resto de legislación de la Unión Europea, con la que garantiza su coherencia, y, especialmente, con la Carta de los Derechos Fundamentales de la Unión Europea [LCEur 2000, 3480], el Derecho derivado de la Unión en materia de protección de datos, protección de consumidores, competencia, servicios (incluido el comercio electrónico, servicios digitales y servicios financieros). También es coherente con propuestas de revisión de legislación en las que está trabajando la Comisión Europea, como la propuesta de un nuevo Reglamento de Máquinas, la Estrategia Digital o la seguridad general de los productos[7].

Pero, desde nuestro punto de vista, el gran logro de la propuesta de Reglamento sobre IA radica en que no solo se establecen controles *ex ante*, para la introducción el mercado de los sistemas IA, sino que también incluye controles *ex post*, una vez que ya se han introducido en el mercado y crea unos órganos de gobernanza con poderes de supervisión y control en este sector, además de un régimen sancionador.

Como hemos detallado a lo largo de los distintos capítulos y apartados, de este libro, la propuesta de Reglamento diseña una regulación de la IA basado en el riesgo y diferencia una serie de sistemas de IA que están, directamente, prohibidos, al considerarse que generan riesgos inadmisibles por contravenir los valores de la Unión y, especialmente, por facilitar la vulneración de derechos fundamentales[8], otros considerados de alto riesgo (por

---

6.   *vid.* Exposición de Motivos, 2.1. de la Propuesta de Reglamento de la Unión Europea sobre IA y Considerando 1 y 2.

7.   *vid.* Exposición de Motivos, 1.2. de la Propuesta de Reglamento de la Unión Europea sobre IA.

8.   Entre los sistemas prohibidos se encuentra el denominado "crédito social" que se utiliza en China.

ser potencialmente lesivos para la seguridad de las personas o para el respeto de los derechos fundamentales) y los de riesgo mediano o bajo (remisión al Capítulo II.1. Acción y supervisión humana). No obstante, llama la atención el hecho de que la propuesta de Reglamento excluya de su ámbito de aplicación a los sistemas IA desarrollados o utilizados exclusivamente con fines militares[9]. También es destacable el hecho de que se faculta a la Comisión Europea a modificar el anexo I y el anexo III de la propuesta de Reglamento, mediante actos delegados, lo cual afecta tanto al propio concepto o definición de los sistemas de IA (técnicas y estrategias) como a la posibilidad de añadir a la lista nuevos sistemas IA de alto riesgo; lo cual parece lógico, para adaptar dicha lista a la evolución del mercado y a los avances tecnológicos. No estamos, por tanto, ni ante un concepto cerrado de lo que es un sistema de IA ni de una lista cerrada de los sistemas IA considerados de alto riesgo[10]. También hemos hecho referencia, a lo largo de los capítulos anteriores y, por tanto, al hilo de los siete requisitos exigidos a los sistemas IA en el documento de Directrices Éticas para una IA fiable, a las obligaciones impuestas a los proveedores de sistemas de IA en función del nivel de riesgo de los distintos sistemas IA; donde destaca el hecho de

---

9.   *vid.* Art. 2.3. de la Propuesta de Reglamento de la UE sobre IA. Dentro de estos usos o fines militares se plantea el problema de la utilización de drones y robots armados que desarrollan inteligencia artificial. Se ha creado un comité sobre los sistemas de armas autónomas letales (LAAS) en al ámbito de la Convención de Naciones Unidas sobre armas convencionales; *vid.* https://undocs.org/pdf?symbol=es/CCW/GGE.1/2019/3. En este ámbito el Consejo de Europa ha solicitado que se prohíban la producción, el desarrollo y el uso de armas totalmente autónomas que permitan realizar ataques sin intervención humana (*vid.* Resolution 2051 (2015) "Drones and targeted killings: the need to uphold human rights and international law"). Sobre esta materia, *vid.* el documento de la OTAN, titulado "Autonomous Systems. Issues for Defense Policymarkers", http://www.act.nato.int/images/stories/media/capdev/capdev_02.pdf; HEINEGG, W. H. and BERUTTO, G. L. (ed.): *International Humanitarian Law and New Weapon Technologies,* 34th Round Table on Current Issues of International Humanitarian Law (Sanremo, 8th-10th September 2011), Franco ANGELI, 2012; THURNHER, J. S.: "The Law That Applies to Autonomous Weapon Systems", *ASIL Insights;* vol. 17 (4), 2013, https://www.asil.org/insights/volume/17/issue/4/law-applies-autonomous-weapon-systems; WEISS, L. G.: "Autonomous Robots in the Fog of War" *IEEE Spectrum* (New York, 27 July 2011); http://spectrum.ieee.org/robotics/military-robots/autonomous-robots-in-the-fog-of-war; AL-RODHAN, N.: "The Moral Code: How to Teach Robots Right and Wrong", *Foreign Affairs* (New York, August 12, 2015) https://www.foreignaffairs.com/articles/2015-08-12/moral-code; GARCIA, D.: "Battle Bots: How the World Should Prepare Itself for Robotic Warfare", *Foreign Affairs* (New York, 5 June 2015) https://www.foreignaffairs.com/articles/2015-06-05/battle-bots; SCHMITT, M. N.: "Autonomous Weapon Systems and International Humanitarian Law: A Reply to the Critics", *Harvard National Security Journal Features,* 2013, pp. 1-37; ANDERSON, K. and WAXMAN, M.: *Law and Ethics for Autonomous Weapon Systems Why a Ban Won't Work and How the Laws of War Can,* Hoover Institution, Stanford University, 2014, http://media.hoover.org/sites/default/files/documents/Anderson-Waxman_LawAndEthics_r2_FINAL.pdf.

10. *vid.* Art. 4 y 7 de la Propuesta de Reglamento de la UE sobre IA.

que los sistemas de IA que no sean considerados de alto riesgo puedan regirse por códigos de conducta, voluntarios (*vid.* Capítulo I. 3. Principios éticos y Derecho). También se imponen obligaciones a los distribuidores, importadores, usuarios o terceros.

Entre las obligaciones impuestas a los proveedores de sistemas de IA de alto riesgo se encuentra la de someter dichos sistemas a evaluación de conformidad, antes de su introducción en el mercado; unas veces a través de un control interno, por el propio proveedor y otras veces con la necesidad de que intervenga un tercero, independiente. Estableciéndose la posibilidad de interponer recurso contra las mismas (*vid.* Capítulo IV. 4. Rendición de Cuentas).

Pero no solo se contempla medidas de mitigación de los riesgos o eventuales daños que puedan causar los sistemas IA de alto riesgo antes de introducirlos en el mercado, sino que también se arbitran medidas correctoras *ex post*; por ejemplo, la obligación de los proveedores, que observen que el sistema IA, que han introducido en el mercado o puesto en servicio, no es conforme con el Reglamento, de ponerlo en conformidad, o retirarlo o recuperarlo, informando a los distribuidores[11]. Otro ejemplo, de medidas correctoras *ex post* es el hecho de que los órganos notificados (que son los encargados de emitir los certificados de conformidad, tras el procedimiento de evaluación de la conformidad) pueden suspender o retirar el certificado expedido, o requerir medidas correctoras. Los Estados miembros, por su parte, deben velar por la existencia de un procedimiento de recurso contra las decisiones de los órganos notificados[12].

La propuesta de Reglamento también crea un sistema de Gobernanza, con la creación de un Comité Europeo de IA que, entre otros cometidos, impulsará la creación de nuevas normas y unas Autoridades Nacionales de supervisión del mercado, que controlen la aplicación de las normas[13].

También se contemplan medidas destinadas a fomentar la innovación, como los "*IA regulatory sandboxes*" (areneros de prueba/espacios controlados de prueba) que suponen la creación, por parte de los Estados, de espacios controlados para el desarrollo, prueba y aceptación de sistemas de IA innovadores[14].

Y, todo ello, se acompaña de un régimen sancionador. En concreto, con la obligación a los Estados de establecer un régimen sancionador, incluidas multas administrativas, aplicables a las infracciones del Reglamento,

---

11.   *vid.* art. 21 de la Propuesta de Reglamento de la UE sobre IA.
12.   *vid.* arts. 44 y 45 de la Propuesta de Reglamento de la UE sobre IA.
13.   *vid.* arts. 56 y ss. de la Propuesta de Reglamento de la UE sobre IA.
14.   *vid.* artículos 53 y 54 de la Propuesta de Reglamento de la UE sobre IA.

que incluye prácticas prohibidas, incumplimiento de prácticas exigidas a los sistemas IA que impliquen entrenamiento de modelos, incumplimiento del resto de requisitos y obligaciones, o presentación de información inexacta, incompleta o engañosa. Las multas más altas pueden llegar a 30.000.000 de euros o, si el infractor es una empresa, hasta el 6% del volumen de negocio total anual mundial[15].

2.2. EN ESPECIAL, LOS REQUISITOS EXIGIDOS A LOS SISTEMAS DE INTELIGENCIA ARTIFICIAL DE ALTO RIESGO

Recordemos, que los sistemas de IA considerados de alto riesgo, por la Propuesta de Reglamento de la Unión Europea sobre IA son[16]:

Los sistemas de IA destinados a ser utilizados como componentes de seguridad de productos; o los empleados en infraestructuras críticas que pueden poner en peligro la vida y la salud de los ciudadanos, por ejemplo, en los transportes; la selección de empleados (por ejemplo, la clasificación CV en procesos de selección de empleados); los servicios públicos y privados esenciales (como la puntuación crediticia o la solvencia de las personas físicas, que puedan determinar el acceso de esas personas a los recursos financieros o servicios esenciales como la vivienda, la electricidad y los servicios de telecomunicaciones, los que puedan conducir a la discriminación de personas o grupos y perpetuar patrones históricos de discriminación, por ejemplo, basados en orígenes raciones, discapacidad, edad, orientación sexual); la formación educativa o profesional que pueda determinar el acceso a la educación y a la carrera profesional, o para evaluar a personas en pruebas; la aplicación de leyes y la administración de justicia (porque pueden ser injustos y discriminatorios si no están basados en datos de muy alta calidad, y pueden conducir a la vigilancia, arresto o privación de libertad de las personas, o afectar al derecho a un juicio justo, al derecho de defensa, a la presunción de inocencia, o el derecho al recurso); o los sistemas de inteligencia artificial utilizados en la gestión de la migración, el asilo y el control de fronteras (por ejemplo, la autenticidad de los documentos de viaje).

A lo largo de este trabajo ya nos hemos referido, en distintos apartados, a los requisitos exigidos a los sistemas de IA considerados de alto riesgo por la propuesta de Reglamento de la Unión Europea sobre IA. Recopilamos, a continuación, y ampliamos, los requisitos exigidos:

---

15. *vid.* arts. 71 y ss. de la Propuesta de Reglamento de la UE sobre IA.
16. *vid.* artículo 6 y Anexo III de la Propuesta de Reglamento de la Unión Europea sobre IA.

–Se deberá documentar y mantener un sistema de gestión de riesgos (conocidos y previsibles), eliminando o reduciendo riesgos desde el diseño sometidos a pruebas en cualquier momento del proceso de desarrollo y, en todo caso, antes de su introducción en el mercado (artículo 9 y remisión al Capítulo II.2. de esta obra).

–Los datos introducidos en los sistemas deben de ser de alta calidad, deben carecer de errores y ser completos. Estarán sometidos a prácticas adecuadas de gobernanza y gestión de datos. Debe especificarse, entre otros, la recopilación de datos, el tratamiento de datos, y realizar un examen de los posibles sesgos (artículo 10 en conexión con el Capítulo II.3 y con todo el Capítulo III de esta obra).

–Debe elaborarse una documentación técnica, que deberá estar preparada antes de su introducción en el mercado o puesta en servicio y se mantendrá actualizada. Debe redactarse de un modo que demuestre que cumple con todos los requisitos exigidos a estos sistemas de IA de alto riesgo (artículo 11 y Anexo IV de la propuesta de Reglamento, que especifica el contenido concreto, de dicha documentación técnica).

–Deben diseñarse y desarrollarse de tal forma que permitan generar, automáticamente "archivos de registro", que garanticen la trazabilidad del funcionamiento del sistema y permitan detectar si el sistema presenta un riesgo (artículo 12 y remisión al Capítulo IV.1. de esta obra). Antes de su introducción en el mercado el proveedor, o representante autorizado, debe registrar dicho sistema IA de alto riesgo, en una base de datos de la Unión Europea (artículo 51) y si se lo requiere una autoridad nacional (de supervisión y vigilancia) deben darle acceso a los "archivos de registro" generados (artículo 23).

– Deben garantizar un alto nivel de transparencia. Deben ir acompañados de instrucciones de uso, con información clara y completa y concisa para que sea accesible y comprensible por los usuarios (artículo 13 y remisión al Capítulo IV.1. obra).

–Estarán sometidos a vigilancia humana (artículo 14 y remisión al Capítulo II.1. de esta obra).

–Deben ser precisos, sólidos y garantizar la ciberseguridad (artículo 15 y remisión al Capítulo II.2. de esta obra).

–Deben someterse a un procedimiento de evaluación de conformidad tras el cual los proveedores redactarán una declaración UE de conformidad, que verifica que se cumple con todos los requisitos exigidos y procederán a colocar un "marcado CE" (marcado europeo), que indica que el producto en cuestión cumple con todos los requisitos de la legislación

101

europea (algunos supuestos exigen que la evaluación de conformidad sea certificada por un tercero (organismos notificados); es decir, entidades que son independientes de las empresas cuyos productos verifican); registrar el sistema de IA en la base de datos de la UE, demostrarán, a solicitud de la autoridad nacional competente, que sus sistemas de IA de alto riesgo cumplen con todos los requisitos exigidos (remisión al Capítulo IV.4. de esta obra).

–Los señalados, con carácter general, en el apartado anterior.

Capítulo VI

Las Administraciones Públicas y la Inteligencia Artificial (en España)

1. ADMINISTRACIONES PÚBLICAS Y SECTOR PÚBLICO EN EL LIBRO BLANCO DE INTELIGENCIA ARTIFICIAL, EN LA PROPUESTA DE REGLAMENTO DE LA UNIÓN EUROPEA SOBRE INTELIGENCIA ARTIFICIAL Y EN LA ESTRATEGIA ESPAÑOLA DE I+D+I EN INTELIGENCIA ARTIFICIAL

El Libro Blanco sobre Inteligencia Artificial establece que resulta fundamental que las Administraciones Públicas, los servicios públicos y otras áreas de interés público empiecen a adoptar, rápidamente, productos y servicios que se basen en Inteligencia Artificial; especialmente pone el foco en la atención sanitaria y el transporte, sectores en los que esta tecnología está suficientemente desarrollada para una adopción a gran escala. Una de las acciones específicas que contempla es, por tanto, promover la adopción de la IA por parte del Sector Público. Entre las acciones que contempla, se encuentra:

"Acción 6: La Comisión iniciará conversaciones por sector abiertas y transparentes, en las que dará prioridad a la atención sanitaria, las administraciones rurales y los operadores de servicios públicos, para presentar un plan de acción que facilite el desarrollo, la experimentación y la adopción de la inteligencia artificial. Las conversaciones por sector se emplearán para preparar un 'Programa de adopción de la IA' específico que respaldará la contratación pública de sistemas de inteligencia artificial, y ayudará a transformar los propios procesos de esta contratación".

Por otra parte, la propuesta de Reglamento de la Unión Europea sobre IA, es aplicable a todo tipo de operadores, tanto públicos como privados. En relación a las Administraciones Públicas dispone:

"En cuanto a las administraciones públicas, favorecerá que la población confíe en el uso de la IA y reforzará los mecanismos de cumplimiento al introducir un mecanismo de coordinación europeo, contemplar las capacidades adecuadas y facilitar que se realicen auditorías de los sistemas de IA con nuevos requisitos en materia de documentación, trazabilidad y transparencia"[1].

Además, como ya hemos explicado, los sistemas de IA de alto riesgo están sometidos a toda una serie de requisitos legales obligatorios, especificados por el citado Reglamento (remisión al Capítulo V de esta obra). Pues bien, la mayoría de los sistemas IA mencionados en el Anexo III de la Propuesta de Reglamento (los considerados de alto riesgo) encajan dentro de actuaciones que llevan, o pueden llevar a cabo, las Administraciones Públicas: identificación biométrica (ámbito policial), gestión y funcionamiento de infraestructuras esenciales, educación y formación profesional, empleo, acceso y disfrute de servicios públicos, aplicación de la ley, gestión de la migración, el asilo y el control fronterizo.

Por otra parte, también es de destacar, entre los órganos de Gobernanza, el papel de vigilancia y supervisión del mercado que se les atribuye a las Autoridades Nacionales (o Agencias) que deben crearse, en los Estados Miembros.

La Unión Europea ha articulado, por tanto, toda una agenda europea en torno a la IA, estableciendo un marco de armonización normativa y, apostado, decididamente, por articular políticas públicas en los Estados miembros dirigidas a implementar, en su caso, o a contribuir a su máximo desarrollo y esplendor en los próximos años.

La Estrategia Española de I+D+I en Inteligencia Artificial, por su parte, es el componente 16 del Plan de Recuperación, Transformación y Resiliencia de la economía española. Dicha Estrategia se configura como un compromiso compartido con los socios europeos, en esta materia. En concreto:

"La elaboración de la presente Estrategia Nacional responde al compromiso compartido con nuestros socios europeos para que la UE se sitúe como líder en esta materia. Este compromiso viene recogido en la Agenda Digital para Europa, la Estrategia 'IA para Europa' adoptada en 2018, el Plan Coordinado de la IA 2019-2027, la Comunicación COM (2020) 65 final 'Configurar el futuro digital de Europa18' y el 'Libro Blanco sobre Inteligencia Artificial' publicado en Febrero de 2020"[2].

---

1. Punto 3.4. de la Exposición de Motivos de la Propuesta de Reglamento de la UE sobre IA.
2. https://ec.europa.eu/info/sites/default/files/commission-white-paper-artificial-intelligence-feb2020_es.pdf.

En concreto, el Eje estratégico 5 tiene como misión potenciar el uso de la IA en la Administración Pública. En concreto:

"Eje estratégico 5. Potenciar el uso de la IA en la Administración Pública y en las misiones estratégicas nacionales. La relación entre IA y Administración proporciona beneficios mutuos. Por un lado, la Inteligencia Artificial es útil para mejorar la transparencia y comunicación de la actividad pública en los sectores de sanidad y servicios sociales, medio ambiente y energía, justicia, transporte y logística, educación, empleo y seguridad. A la vez permite conocer de manera más exacta la sociedad en la que nos encontramos y determinar las prioridades de actuación, identificando aquellos ámbitos con ventajas competitivas y aquéllos más desfavorecidos. Por otro lado, la actividad de la Administración también puede beneficiar a la Inteligencia Artificial, desplegando todos sus instrumentos para financiar, promover e integrar la IA en sus procesos. Todo ello sin olvidar que el beneficio final de todo este proceso es para la ciudadanía. Es la ciudadanía quien debe monitorizar la actividad de la Administración, sentirla más cerca y poder usar aplicaciones adaptadas y personalizadas a sus necesidades".

En julio de 2021, se ha elaborado una Guía de Derechos Digitales que recoge un catálogo de derechos ante la IA[3]. En concreto:

"XXIII Derechos ante la Inteligencia artificial. 1. En el desarrollo y ciclo de vida de los sistemas de Inteligencia Artificial: a) Se deberá garantizar el derecho a la no discriminación algorítmica, cualquiera que fuera su origen, causa o naturaleza del sesgo, en relación con las decisiones y procesos basados en algoritmos. b) Se asegurarán la transparencia, auditabilidad, explicabilidad y trazabilidad. c) Deberán garantizarse la accesibilidad, usabilidad y fiabilidad. 2. Las personas tienen derecho a no ser objeto de una decisión basada únicamente en procesos de decisión automatizada, incluidas aquéllas que empleen procedimientos de inteligencia artificial, que produzcan efectos jurídicos o les afecten significativamente de modo similar, salvo en los supuestos previstos en las leyes. En tales casos se reconocen los derechos a: a) Solicitar una supervisión e intervención humana; b) Impugnar las decisiones automatizadas o algorítmicas. 3. Se deberá informar a las personas sobre el uso de sistemas de Inteligencia Artificial que se comuniquen con seres humanos utilizando el lenguaje natural en todas sus formas. Deberá garantizarse en

---

3.   https://portal.mineco.gob.es/RecursosArticulo/mineco/ministerio/participacion_publica/audiencia/ficheros/SEDIACartaDerechosDigitales.pdf.

todo caso la asistencia por un ser humano a solicitud de la persona interesada. 4. Se prohíbe el uso de sistemas de Inteligencia Artificial dirigidos a manipular o perturbar la voluntad de las personas, en cualesquiera aspectos que afecten a los derechos fundamentales".

2. DESPLIEGUE DE LA INTELIGENCIA ARTIFICIAL EN LAS ADMINISTRACIONES PÚBLICAS Y CAMBIOS A NIVEL ORGÁNICO

Las Administraciones Públicas empiezan a desplegar, en España, el uso de la IA, en distintos sectores y ámbitos de actuación[4]; así, por ejemplo, en el ámbito sanitario, podemos mencionar la app oficial Radar Covid, una aplicación para dispositivos móviles que crea un sistema de alertas de contagios por la Covid-19[5]; el sistema VioGén, del Ministerio del Interior, que realiza una valoración de riesgo en los casos de violencia de género, o la Agencia Tributaria, con la utilización de chatbot (asistentes virtuales), como SII (Suministro Inmediato de Información), o un chatbot específico para el IVA, o en la prevención y control del fraude, al igual que las Agencias Tributarias autonómicas. Precisamente, en el ámbito del control del fraude, es interesante destacar la Ley valenciana 22/2018 [LCV 2018, 384], que crea un sistema de alertas para la prevención de malas prácticas en la Administración, como mecanismo de control del fraude[6]. También

---

4. Fuera de nuestras fronteras, Estonia se perfila como uno de los países con más presencia de la IA en el sector público. Estonia ahora tiene alrededor de 80 aplicaciones de inteligencia artificial diferentes en funcionamiento o en desarrollo en el sector público. Las soluciones de inteligencia artificial utilizadas por el sector público en Estonia comprenden, por ejemplo: predicción del estado de las carreteras, detección de incidentes de ciberseguridad mediante el seguimiento del tráfico, señales de tráfico inteligentes, elaboración de perfiles de los solicitantes de empleo y generación de sugerencias para puestos vacantes, chatbots, modelos de predicción para la salud de los crónicos. pacientes enfermos y la detección del volumen de tráfico. Ejemplos de sistemas de IA que se están desarrollando en el sector público incluyen la detección de insuficiencia cardíaca repentina y la detección de especies de árboles y plantas. A partir de octubre de 2019, el primer componente para aplicaciones basadas en IA, desarrollado por Texta OÜ, se publicó en el código público del Estado. Las leyes sectoriales de Estonia permiten la emisión de actos administrativos automatizados, sin intervención humana, (vid. KAEVATS, M.: "Estonia considers a 'kratt law' to legalise Artifical Intelligence (AI)", 25 de septiembre de 2017; HAYNES, A.: "New e-Estonia factsheet: National AI 'Kratt' Strategy", junio de 2020; VIHMA, P.: "AI to help serve the Estonian unemployed", febrero 2021).

5. Resolución de 13 de octubre de 2020, de la Subsecretaría, por la que se publica el Acuerdo entre el Ministerio de Asuntos Económicos y Transformación Digital y el Ministerio de Sanidad, acerca de la aplicación "Radar COVID".

6. vid. Ley valenciana 22/2018, de 6 de noviembre, de Inspección General de Servicios y del sistema de alertas para la prevención de malas prácticas en la Administración de la Generalitat y su sector público instrumental [LCV 2018, 384].

utilizan la Inteligencia Artificial las Administraciones o Autoridades Independientes, como la Comisión Nacional del Mercado de Valores (CNMV) y la Comisión Nacional de los Mercados y la Competencia (CNMC). La CNMV, por ejemplo, en su labor de supervisión, para controlar la negociación algorítmica de alta frecuencia para la compraventa de acciones[7] y la CNMC, para mejorar la tramitación de expedientes de supervisión regulatoria, para vigilar el fraude, por ejemplo en la contratación pública, o vigilar contenidos audiovisuales prohibidos, por ejemplo, que perjudican a menores[8].

A nivel orgánico, en 2020, se crea por primera vez en nuestro país un órgano administrativo, de este nivel, con competencia para promover la IA; se trata de la Secretaría de Estado de Digitalización e Inteligencia Artificial, dentro del Ministerio de Asuntos Económicos y Transformación Digital (Real Decreto 2/2020, que reestructura los departamentos ministeriales [RCL 2020, 44]) y una Secretaría de Administración Digital y por Orden Ministerial se crea la División Oficina del Dato (Orden ETD/803/2020, de 31 de julio, por la que se crea la División Oficina del Dato [RCL 2020, 1423]).

En el ámbito autonómico y local también existen distintos órganos, y entes públicos, con competencias en materia de digitalización, nuevas tecnologías, innovación e Inteligencia Artificial. Así, por ejemplo: Agencia Digital de Andalucía[9]; Agencia para la Administración Digital y la Consejería de Administración Local y Administración Digital, en la Comunidad Autónoma de Madrid[10]; Consellería de Innovación, Universidades, Ciencia y Sociedad Digital, Subdirección General para el Avance de la Sociedad Digital y de la Inteligencia Artificial, Observatorio de IA para la Administración Pública y Comisionada de la Presidencia de la Generalitat para la Estrategia valenciana de Inteligencia Artificial, en la Comunidad Autónoma valenciana[11]; Departamento de políticas

---

7. *vid.* MORENO REBATO, M.: "Regulación e intervención administrativa en la negociación algorítmica de alta frecuencia: la CNMV en este contexto", en *Los nuevos desafíos del Derecho Público Económico. Homenaje al profesor José Manuel SALA ARQUER*, Servicio de Publicaciones del Congreso de los Diputados, 2019, pp. 975-1018.

8. https://www.cnmc.es/sites/default/files/editor_contenidos/Notas%20de%20prensa/2021/Plan%20de%20Actuaciones%20CNMC%202021-22_DEF.pdf.

9. *Decreto 128/2021, de 30 de marzo, por el que se aprueban los Estatutos de la Agencia Digital de Andalucía [LAN 2021, 528].*

10. https://www.comunidad.madrid/transparencia/unidad-organizativa-responsable/ente-publico-agencia-administracion-digital-comunidad-madrid.

11. Orden 7/2020, de 11 de febrero, de la consellera de Innovación, Universidades, Ciencia y Sociedad Digital, por la que se desarrolla el Decreto 243/2019, de 25 de octubre, del Consell, por el que se aprueba el Reglamento orgánico y funcional de la

digitales y Administración Pública y el Comité de ética de datos, en la Comunidad Autónoma catalana[12]; Dirección General de Administración Digital, en la Comunidad Autónoma de Castilla la Mancha; Dirección de Transformación digital y emprendimiento, en Euskadi, Comunidad Autónoma del País vasco[13]; Departamento de Universidad, innovación y transformación digital, de la Comunidad foral de Navarra[14]; Servicio

Conselleria de Innovación, Universidades, Ciencia y Sociedad Digital [LCV 2020, 49]. Y, el artículo 9. Subdirección General para el Avance de la Sociedad Digital y de la Inteligencia Artificial del Decreto 6/2020, de 24 de marzo, del president de la Generalitat, por el que se crea la Comisionada de la Presidencia de la Generalitat para la Estrategia Valenciana para la Inteligencia Artificial y, especialmente, para la coordinación de la inteligencia de datos ante la epidemia por la infección de COVID-19 en la Comunitat Valenciana [LCV 2020, 111].

12. Decreto 124/2019, de 4 de junio, de reestructuración del Departamento de Políticas Digitales y Administración Pública [LCAT 2019, 404].
   Artículo 18
   Servicio de Inclusión y Capacitación Digital
   "j) Velar para que la inteligencia artificial no promueva estereotipos sexistas ni machistas mediante sus algoritmos".
   Artículo 38
   Oficina de Innovación y Administración Digital
   Área para el Gobierno de los Datos
   "h) Promover la introducción de sistemas de analítica avanzada y predictiva con el uso de técnicas de tratamiento masivo de la información y de inteligencia artificial para mejorar la toma de decisiones de la Administración y avanzar hacia la prestación de servicios proactivo y personalizados".
   Y, el Decreto 76/2020, de 4 de agosto, de Administración digital del departamento de políticas digitales y administración pública [LCAT 2020, 1165] y Acuerdo GOV/6/2021, de 19 de enero, por el que se crea el Comité de Ética de los Datos del Departamento de políticas digitales y administración pública [LCAT 2021, 57].

13. Decreto 68/2021, de 23 de febrero, por el que se establece la estructura orgánica y funcional del Departamento de Desarrollo Económico, Sostenibilidad y Medio Ambiente [LPV 2021, 162], dispone:
   Dirección de Transformación Digital y Emprendimiento
   "b) Ejecutar la política del Gobierno para la transformación digital en el ámbito empresarial y en la promoción de las empresas del sector TEIC, así como promocionar la introducción de las tecno-logías digitales emergentes (inteligencia artificial, big data, internet de las cosas, tecnologías 5G, sistemas ciberfísicos y ciberseguridad, entre otras) en la sociedad vasca.
   c) Impulsar medidas para el desarrollo y fomento de la inteligencia artificial".

14. Decreto Foral 272/2019, de 30 de octubre, por el que se establece la estructura orgánica del Departamento de Universidad, Innovación y Transformación Digital [LNA 2019, 308]. El artículo 18. Funciones de la Sección de I+D+i Automoción, Mecatrónica, Industrias Creativas y Digitales dispone:
   "La Sección de I+D+i Automoción, Mecatrónica, Industrias Creativas y Digitales ejercerá las siguientes funciones:
   Fomento de la investigación, el desarrollo tecnológico y la innovación en los sectores de automoción, mecatrónica, industrias creativas y digitales, especialmente en industria 4.0, robótica, inteligencia artificial, automatización, realidad aumentada,

de planificación y evaluación de políticas públicas, dentro de la consejería de transparencia, ordenación del territorio y acción exterior, en la Comunidad Autónoma de Castilla y León[15]; Consejería de economía, ciencia y agenda digital en la Comunidad Autónoma de Extremadura[16]; Área de transición digital y comisionado de innovación digital y Teniente de Alcaldía de transición digital, en el ayuntamiento de Barcelona (que tiene intención de crear un registro público de algoritmos utilizados por el ayuntamiento de Barcelona), Área delegada de innovación y emprendimiento del Ayuntamiento de Madrid (que creará un Clúster de empresas para desarrollar estrategias conjuntas con el Ayuntamiento sobre Inteligencia Artificial), etc.

Por otra parte, junto a la Estrategia Nacional sobre IA, algunas Comunidades Autónomas y algunos Ayuntamientos también cuentan con una Estrategia propia en materia de IA[17]. Por ejemplo, la Estrategia Gallega de IA 2021-2030, contempla, entre otros, la creación de un "Nodo de IA" (de colaboración público-privada) y la implantación como materia de libre configuración autonómica en los centros públicos, la Inteligencia Artificial, dirigido a primero de Bachillerato (dos horas semanales) y enfoque transversal en todas las etapas educativas[18].

---

internet de las cosas (IoT), gestión de datos (Big Data) y aplicaciones digitales, en universidades, centros tecnológicos y de investigación y su transferencia a la actividad empresarial, dentro del ámbito de sus competencias".

15. Orden TRA/1197/2019, de 28 de noviembre, por la que se desarrolla la estructura orgánica de los Servicios Centrales de la Consejería de Transparencia, Ordenación del Territorio y Acción Exterior [LCyL 2019, 426]. El artículo 23. Servicio de Planificación y Evaluación de Políticas Públicas recoge:
"Las actuaciones necesarias para impulsar y coordinar el uso de macrodatos y datos masivos, de las métricas predictivas de rendimiento y de la inteligencia artificial para la aprobación de políticas públicas y la adopción de decisiones automatizadas".

16. Que ha diseñado un sistema de ayudas a entidades locales de menos de 20.000 habitantes, para el desarrollo de pueblos inteligentes "Smart cities" (que tienen por objeto diferenciar la ciudad como Destino Turístico Inteligente y la movilidad inteligente), *vid.* https://ciudadano.gobex.es/buscador-de-tramites/-/tramite/ficha/6008.

17. Por ejemplo, la estrategia municipal de algoritmos y datos, de Barcelona, "Estrategia municipal de algoritmos y datos para el impulso ético de la inteligencia artificial" del Ayuntamiento de Barcelona, de abril 2021, *vid.* https://www.slideshare.net/Barcelona_cat/estratgia-municipal-dalgoritmes-i-dades-per-a-limpuls-tic-de-la-intelligncia-artificial/Barcelona_cat/estratgia-municipal-dalgoritmes-i-dades-per-a-limpuls-tic-de-la-intelligncia-artificial. La Comunidad Valenciana cuenta con su propia Estrategia, *vid.* https://presidencia.gva.es/documents/172345415/172485485/Dossier_cas.pdf/45b40fdc-95e3-4c0e-8bbd-b3913487a5b3.

18. https://www.xunta.gal/notas-de-prensa/-/nova/58937/estrategia-gallega-inteligencia-artificial-2021-2030-movilizara-mas-330-generara.

3. LA INTELIGENCIA ARTIFICIAL EN LA LEGISLACIÓN ADMINISTRATIVA ESPAÑOLA

Tanto la Ley 39/2015, del procedimiento administrativo común de las Administraciones Públicas [RCL 2015, 1477][19], como la Ley 40/2015, de régimen jurídico del sector público [RCL 2015, 1478][20] (LRJSP), mencionan la automatización de procedimientos. En concreto, la 40/2015 [RCL 2015, 1478] regula lo que ha de entenderse por procedimiento automatizado.

En este sentido, el artículo 41 de la Ley 40/2015 [RCL 2015, 1478] señala:

1. Se entiende por actuación administrativa automatizada, cualquier acto o actuación realizada íntegramente a través de medios electrónicos por una Administración Pública en el marco de un procedimiento administrativo y en la que no haya intervenido de forma directa un empleado público.

2. En caso de actuación administrativa automatizada deberá establecerse previamente el órgano u órganos competentes, según los casos, para la definición de las especificaciones, programación, mantenimiento, supervisión y control de calidad y, en su caso, auditoría del sistema de información y de su código fuente. Asimismo, se indicará el órgano que debe ser considerado responsable a efectos de impugnación.

Por su parte, el Real Decreto 203/2021, 30 de marzo, por el que se aprueba el Reglamento de actuación y funcionamiento del sector público por medios electrónicos [RCL 2021, 590] (reglamento de desarrollo de las leyes anteriores en lo relativo a la utilización de medios electrónicos), que nace en el contexto de la agenda digital europea, tiene cuatro grandes objetivos, según expresa su Exposición de Motivos: mejorar la eficiencia administrativa (para hacer efectiva una Administración totalmente electrónica e interconectada), incrementar la transparencia, garantizar servicios digitales fácilmente utilizables y mejorar la seguridad jurídica[21]. En concreto, su artículo 13 lleva por título "Actuación Administrativa automatizada", se remite al artículo 41 Ley 40/2015 [RCL 2015, 1478] y concreta que la determinación de una actuación administrativa, como automatizada, se autorizará por resolución del titular del órgano administrativo competente por razón de la materia o del órgano ejecutivo competente del organismo o entidad de Derecho público, según corresponda y se publicará

---

19. *vid.* arts. 27.1 sobre copias auténticas mediante actuación administrativa automatizada y D.A. 3.ª sobre sistema automatizado para la publicación de anuncios en BOE de la Ley 39/2015 [RCL 2015, 1477].

20. *vid.* arts. 41 y 42 de la Ley 40/2015 (sistemas de firma para la actuación administrativa automatizada) [RCL 2015, 1478].

21. *vid.* Exposición de Motivos del Real Decreto 203/2021, 30 de marzo [RCL 2021, 590].

en la sede electrónica o sede electrónica asociada. La resolución, expresará los recursos que procedan, órgano y plazo de interposición de dicho recurso y establecerá medidas adecuadas para salvaguardar los derechos y libertades y los intereses legítimos de las personas interesadas (medidas cautelares). Precisando, por último, que, en el ámbito de las Entidades Locales, en caso de actuación automatizada se estará a lo dispuesto en el Real Decreto 128/2018, 16 de marzo, por el que se regula el régimen jurídico de los funcionarios de Administración Local con habilitación de carácter nacional [RCL 2018, 438] (disposición adicional octava).

Las actuaciones automatizadas pueden ser muy diversas: actos de trámite, de comunicación, de certificación, declaración de realidades fácticas o jurídicas o, incluso, actos resolutorios[22].

Fácilmente se constata que tanto la Ley 40/2015 [RCL 2015, 1478] como el Real Decreto 203/2021 [RCL 2021, 590] se han quedado muy cortos en la regulación de las actuaciones administrativas automatizadas que incorporen sistemas de IA; aunque, claro está, que el reglamento de desarrollo de la Ley poco margen de maniobra tiene respecto de temas que, en su mayor parte, requieren ser regulados por Ley (por afectar al procedimiento administrativo común y al régimen jurídico del sector público). Hay, incluso, quien sostiene que estas leyes realizan una involución, respecto de la legislación anterior, de las garantías asociadas al empleo de medios tecnológicos por parte de la Administración[23]. Sin duda, la ley (o las leyes) que modifiquen la 39/2015 [RCL 2015, 1477] y la 40/2015 [RCL 2015, 1478] tendrá que afinar mucho más en la regulación de este tipo de actuaciones administrativas. De momento, nada disponen sobre si es posible acceder a las especificaciones técnicas del sistema, a sus parámetros, reglas o instrucciones, o al código fuente, o la propia naturaleza jurídica de los algoritmos, ni nada dicen del procedimiento administrativo necesario para generarlos[24]. Solamente se dispone la posible auditoría tanto del

---

22. *vid.* por ejemplo, artículo 16 del Decreto castellano-manchego 12/2010, 16 de marzo, por el que se regula la utilización de medios electrónicos en la actividad de la Administración de la Junta de Comunidades de Castilla-La Mancha [LCLM 2010, 82], y Orden 12/2019, 24 de enero, de la Consejería de Hacienda y Administraciones Públicas, por la que se regulan las actuaciones automatizadas de la Administración Tributaria de la Junta de Comunidades de Castilla La Mancha [LCLM 2019, 34].

23. *vid.* BOIX PALOP, A.: "Los algoritmos son reglamentos: La necesidad de extender las garantías propias de las normas reglamentarias a los programas empleados por la Administración para la adopción de decisiones", *Revista de Derecho Público: Teoría y Método.* Marcial Pons, vol. 1, 2020, pp. 239 y ss.

24. *vid.* PONCE SOLÉ, J.: "Inteligencia artificial, Derecho Administrativo y reserva de humanidad: algoritmos y procedimiento administrativo debido tecnológico", *Revista General de Derecho Administrativo*, n.° 50, 2019, p. 17.

sistema de información como del código fuente y la necesidad de identificar un responsable, a efectos de supervisión e impugnación de actos.

Otras leyes, como la Ley General Tributaria [RCL 2003, 2945] o la Ley de Seguridad Social [RCL 2015, 1700], también se refieren a las actuaciones automatizadas. En síntesis, disponen la necesidad de identificar a los encargados de la programación y supervisión del sistema de información (y de la auditoría del sistema de información y del código fuente, especifica la LGSS [RCL 2015, 1700]) y los órganos competentes para resolver los recursos que pudieran interponerse[25].

---

25. Ley 58/2003, de 17 de diciembre, General Tributaria [RCL 2003, 2945]. Artículo 96:
"La Administración tributaria promoverá la utilización de las técnicas y medios electrónicos, informáticos y telemáticos necesarios para el desarrollo de su actividad y el ejercicio de sus competencias, con las limitaciones que la Constitución y las leyes establezcan.
2. Cuando sea compatible con los medios técnicos de que disponga la Administración tributaria, los ciudadanos podrán relacionarse con ella para ejercer sus derechos y cumplir con sus obligaciones a través de técnicas y medios electrónicos, informáticos o telemáticos con las garantías y requisitos previstos en cada procedimiento.
3. Los procedimientos y actuaciones en los que se utilicen técnicas y medios electrónicos, informáticos y telemáticos garantizarán la identificación de la Administración tributaria actuante y el ejercicio de su competencia. Además, cuando la Administración tributaria actúe de forma automatizada se garantizará la identificación de los órganos competentes para la programación y supervisión del sistema de información y de los órganos competentes para resolver los recursos que puedan interponerse.
4. Los programas y aplicaciones electrónicos, informáticos y telemáticos que vayan a ser utilizados por la Administración tributaria para el ejercicio de sus potestades habrán de ser previamente aprobados por ésta en la forma que se determine reglamentariamente.
5. Los documentos emitidos, cualquiera que sea su soporte, por medios electrónicos, informáticos o telemáticos por la Administración tributaria, o los que ésta emita como copias de originales almacenados por estos mismos medios, así como las imágenes electrónicas de los documentos originales o sus copias, tendrán la misma validez y eficacia que los documentos originales, siempre que quede garantizada su autenticidad, integridad y conservación y, en su caso, la recepción por el interesado, así como el cumplimiento de las garantías y requisitos exigidos por la normativa aplicable".
Y, el Real Decreto Legislativo 8/2015, de 30 de octubre, por el que se aprueba el texto refundido de la Ley General de la Seguridad Social [RCL 2015, 1700].
Artículo 130: Tramitación electrónica de procedimientos en materia de Seguridad Social.
"De acuerdo con lo dispuesto en el artículo 41.1 de la Ley 40/2015, de 1 de octubre, de Régimen Jurídico del Sector Público [RCL 2015, 1478], podrán adoptarse y notificarse resoluciones de forma automatizada en los procedimientos de gestión tanto de la protección por desempleo previstos en el título III como de las restantes prestaciones del sistema de la Seguridad Social previstas en esta ley, excluidas las pensiones no contributivas, así como en los procedimientos de afiliación, cotización y recaudación.
A tal fin, mediante resolución de los titulares de las Direcciones Generales del Instituto Nacional de la Seguridad Social, del Servicio Público de Empleo Estatal y de la Tesorería General de la Seguridad Social, o del titular de la Dirección del Instituto Social de la Marina, según proceda, se establecerá previamente el procedimiento o procedimientos

También es interesante traer a colación la Ley de Transparencia [RCL 2013, 1772] en este contexto: ¿Puede considerarse información pública el acceso al código fuente de un sistema de IA? ¿Y la documentación técnica? ¿Y las pruebas practicadas al sistema para asegurarse que cumple con todos los requisitos legales? La Ley [RCL 2013, 1772] dice que son información pública "los documentos y contenidos" en cualquier formato o soporte, pero luego contempla límites al derecho de acceso a la información pública; por ejemplo, para proteger intereses comerciales, o por razones de seguridad pública o para proteger la propiedad intelectual e industrial[26]. Sobre todos estos aspectos nos remitimos al apartado donde hemos expuesto los problemas legales que han surgido en relación al acceso al código fuente y, en concreto, el bono social eléctrico y el programa BOSCO (remisión al Capítulo IV.2.2. de esta obra).

Por su parte, la reciente reforma del Estatuto de los Trabajadores [RCL 2015, 1654][27], que si bien no se enmarca en el ámbito de actuación de las Administraciones Públicas sino en el de las relaciones laborales, introduce un nuevo derecho (referente a los trabajadores de las plataformas digitales de reparto). En concreto, el derecho de los comités de empresa a:

> "Ser informado por la empresa de los parámetros, reglas e instrucciones en los que se basan los algoritmos o sistemas de inteligencia artificial que afectan a la toma de decisiones que pueden incidir en las condiciones de trabajo, el acceso y mantenimiento del empleo, incluida la elaboración de perfiles".

La novedad, por tanto, implica configurar un derecho de acceso a los parámetros, reglas e instrucciones en los que se basan los algoritmos o sistemas de inteligencia artificial que afectan a la toma de decisiones (aunque, en este caso, en el ámbito privado de las relaciones laborales). Se ahonda así, entre otros requisitos exigibles a los sistemas de IA, en la transparencia y la trazabilidad, la explicabilidad y el bienestar social, que deben acompañar al uso de esta tecnología.

---

de que se trate y el órgano u órganos competentes, según los casos, para la definición de las especificaciones, programación, mantenimiento, supervisión y control de calidad y, en su caso, auditoría del sistema de información y de su código fuente. Asimismo, se indicará el órgano que debe ser considerado responsable a efectos de impugnación".

26. *vid.* artículos 13 y 14 de la Ley 19/2013, 9 de diciembre, de Transparencia, Acceso a la Información Pública y Buen Gobierno [RCL 2013, 1772].

27. Real Decreto-ley 9/2021, de 11 de mayo, por el que se modifica el texto refundido de la Ley del Estatuto de los Trabajadores, aprobado por el Real Decreto Legislativo 2/2015, de 23 de octubre, para garantizar los derechos laborales de las personas dedicadas al reparto en el ámbito de plataformas digitales [RCL 2021, 910]. Artículo 1. Modificación del texto refundido de la Ley del Estatuto de los Trabajadores, aprobado por el Real Decreto Legislativo 2/2015, de 23 de octubre.

Volviendo, de nuevo, a la Ley valenciana 22/2018 [LCV 2018, 384], esta Ley crea un sistema de alertas para la prevención de malas prácticas (y persigue el control del fraude) que comporta el tratamiento de datos personales. Los datos se circunscriben a las personas que mantengan, o hayan mantenido, cualquier relación jurídica con la Administración valenciana, como consecuencia de haber participado en procedimientos administrativos que sean objeto, o estén íntimamente relacionados con la actuación investigadora de que se trate.

En concreto:

> "Los datos pueden proceder de tres fuentes: bases de datos internas creadas y mantenidas por la administración de la Generalitat y su sector público instrumental con los datos que los interesados han proporcionado voluntariamente para la tramitación del procedimiento a través del cual se han relacionado con la administración; bases de datos de organismos o entidades externas con los que se establezca una colaboración, por ejemplo registros públicos; y, finalmente, datos de carácter personal que sus titulares hayan hecho manifiestamente públicos, particularmente en internet"[28].

La Exposición de Motivos de dicha ley [LCV 2018, 384] explica que el derecho fundamental a la protección de datos de carácter personal, del artículo 18.4. C.E. [RCL 1978, 2836] puede limitarse (admite límites, como cualquier derecho). A continuación, expone que, de la interpretación conjunta del Derecho europeo, en esta materia, el Tribunal Europeo de Derechos Humanos ha establecido que las limitaciones al derecho a la protección de datos, por parte de los Estados miembros, será lícito se cumplen tres premisas:

> "el tratamiento debe realizarse conforme a la ley que lo prevea, debe servir a un fin legítimo y debe resultar necesario en una sociedad democrática para la consecución de dicho fin".

La Exposición de Motivos justifica que todas las limitaciones impuestas por esta Ley, respecto del tratamiento de datos personales, se amparan en lo establecido en el Reglamento General de Protección de Datos [LCEur 2016, 605] (RGPD). En concreto:

> "la presente ley se ampara en lo previsto en los apartados c y e del artículo 6 de dicho reglamento, habida cuenta que el tratamiento se realiza para el cumplimiento de una finalidad prevista por la propia ley y está destinado al cumplimiento de una misión realizada en interés público. El tratamiento de los datos resulta relevante en la medida en que el objetivo de la ley no podría cumplirse por otras vías. El uso y cruce de las bases de datos con que cuenta la administración son imprescindibles para

---

28. *vid.* Exposición de Motivos de la Ley valenciana 22/2018 [LCV 2018, 384].

prevenir de manera eficaz y eficiente la comisión de delitos en su seno, ya que permiten articular un modelo de gestión y prevención que garantice la vigilancia y detección temprana de posibles indicios de delito, así como de irregularidades y malas prácticas que incrementan el riesgo de que se cometan actividades delictivas. De esta manera, las bases de datos de la administración incluyen una gran cantidad de referencias, principalmente provenientes de contratos del sector público y de subvenciones que, gestionadas y vinculadas entre ellas, pueden servir para detectar prácticas tales como el fraccionamiento reiterado de contratos suscritos con una misma empresa o para identificar los contratos que con mayor frecuencia llevan asociadas modificaciones, por ejemplo. Esta importancia de la gestión de los datos de la administración para la prevención de delitos e irregularidades justifica la idoneidad, necesidad y proporcionalidad del tratamiento de datos de carácter personal que ampara esta ley. De esta manera, las limitaciones para el derecho de protección de datos personales que implican las medidas que incluye la ley son las necesarias e imprescindibles para alcanzar los objetivos que se pretenden, sin que sea posible hacerlo con medidas menos limitativas de otros derechos o bienes jurídicos. Asimismo, las medidas que se proponen en la ley se vinculan a la prevención de delitos mediante la detección en las primeras fases y la vigilancia de las áreas de riesgo y, al mismo tiempo, contribuyen a garantizar el derecho a una buena administración".

Por tanto, la limitación efectuada al derecho a la protección de datos personales se justifica en el artículo 6, puntos c y d. del RGPD [LCEur 2016, 605]. Tal y como expresa el citado RGPD [LCEur 2016, 605]:

1. "El tratamiento solo será lícito si se cumple al menos una de las siguientes condiciones:

    c) el tratamiento es necesario para el cumplimiento de una obligación legal aplicable al responsable del tratamiento;

    d) el tratamiento es necesario para proteger intereses vitales del interesado o de otra persona física".

Incluso, la Ley valenciana [LCV 2018, 384], establece la posibilidad de limitar los derechos de acceso, rectificación y supresión de datos personales, contemplados en el RGPD [LCEur 2016, 605], cuando con tal ejercicio se pretenda obstaculizar el cumplimiento de los fines de esta ley [LCV 2018, 384][29]. También precisa la Ley [LCV 2018, 384] que los datos de carácter personal no podrán hacerse públicos salvo que se anonimicen. En concreto:

---

29. *vid.* también, artículo 14. 1.c) Ley 19/2013, 9 de diciembre, de transparencia, acceso a la información pública y buen gobierno [RCL 2013, 1772].

"se podrán limitar los derechos de acceso, rectificación y supresión, en los términos que prevé el Reglamento (UE) 2016/679 [LCEur 2016, 605], cuando con su ejercicio se pretenda obstaculizar el cumplimiento de los fines de esta ley. El ejercicio de estos derechos se podrá denegar en aquellos casos en que suponga una limitación directa a la capacidad de actuación preventiva del sistema, o el afectado esté siendo objeto de actuaciones inspectoras. De conformidad con el citado reglamento, el ejercicio de los derechos de limitación, portabilidad y oposición queda excluido por tratarse de un tratamiento realizado en una misión de interés público... En ningún caso los datos de carácter personal se podrán hacer públicos, salvo que previamente se anonimicen para poder servir a los fines previstos en la presente ley"[30].

Por tanto, la limitación efectuada por la Ley [LCV 2018, 384] en relación a los datos de carácter personal se justifica en el interés público y en el derecho a una buena administración.

Por otra parte, el sistema se alimenta de datos, estos datos se procesan y generan nueva información. El mecanismo que utiliza la Ley [LCV 2018, 384] es el de cruzar datos, de distintas bases de datos, a través de un sistema informático de procesamiento de datos, que genera unos indicadores de riesgo que indican posibles malas prácticas o irregularidades. Dicha información genera un sistema de alertas, susceptible de ser utilizadas para la apertura de una investigación. De esta forma se pueden detectar, por ejemplos, prácticas fraudulentas, como el fraccionamiento de contratos públicos. En el ámbito de estas actuaciones, se someten al cumplimiento de un código de buenas prácticas, el sistema se evalúa, se verifica periódicamente (cumplimiento de elementos de seguridad, de procedimientos operativos y de cumplimiento de la normativa de protección de datos) y se somete a auditorías externas[31].

4. PROCEDIMIENTOS ADMINISTRATIVOS Y ALGORITMOS

La IA se alimenta de datos y algoritmos. La IA llevada al campo de los procedimientos administrativos de las Administraciones Públicas puede ayudar, por una parte, al procesamiento masivo de ingentes cantidades de datos, que pueden ser muy efectivos en la decisión de

---

30. *vid.* Disposición Adicional 3.° de la Ley valenciana 22/2018 [LCV 2018, 384].

31. *vid.* entre otros, artículos 17, 20, 26, 27, 28, 29, 31 y 32 (los denunciantes quedan protegidos por confidencialidad) [LCV 2018, 384].

iniciar o no un procedimiento administrativo (de oficio) por parte de la Administración (por ejemplo, de investigación del fraude, como hemos expuesto al referirnos a la Ley valenciana 22/2018 [LCV 2018, 384]) o en la tramitación de los procedimientos administrativos, realizando tareas tediosas de comprobación de datos, muchos de ellos se encuentran, incluso, en los propios ficheros o bases de datos de la Administración o elaborando informes (actos de trámite), incluso, puede utilizarse para resolver procedimientos (sin ayuda de las personas o con su ayuda; es decir, como un complemento en la labor decisoria imputable al titular del órgano administrativo)[32]. Ahora bien, el problema surge porque hay miles y miles de procedimientos administrativos. No todos son iguales, no todos presentan la misma complejidad, en unos se ejercen potestades regladas donde la Administración (o el eventual algoritmo utilizado por ella) se limita a aplicar, automáticamente, la norma jurídica, sin introducir ningún criterio de aplicación subjetiva y procedimientos donde hay partes que son regladas para la Administración y otras donde, si se lo permite la norma jurídica, puede ejercer potestades discrecionales (donde la Administración puede introducir criterios de valoración subjetiva). El problema surge porque al igual que no todos los procedimientos administrativos son iguales, tampoco todos los algoritmos lo son: unos son estáticos (no aprenden con el tiempo), otros son dinámicos (aprenden con el tiempo) e, incluso, otros son de aprendizaje profundo[33], unos son predictivos y otros no o, expresado de otra manera, unos son algoritmos aritméticos, otros relacionales y otros lógicos.

En primer lugar, y siguiendo a HUERGO LORA[34]:

Hay algoritmos que equivalen a una fórmula que traduce el contenido de una norma o de unas bases que ha de aplicar la Administración,

---

32. *vid.* por ejemplo, en el Ayuntamiento de Manzanares, el procedimiento automatizado con IA que han creado para la devolución de la parte proporcional del Impuesto sobre vehículos en casos de baja definitiva o temporal por sustracción o robo de un vehículo (art. 96.3 Ley de Haciendas Locales [RCL 2004, 602]) es un procedimiento que permite perfectamente la aplicación de un modelo sencillo de IA mediante automatización y asesoramiento en la toma de la decisión final, al contar con unos requisitos tasados para su resolución; *vid.* PADILLA RUIZ, P.: "Inteligencia artificial y Administración Pública. Posibilidades y aplicación de modelos básicos en el procedimiento administrativo", *El Consultor de los Ayuntamientos*. Rev. 10/2019, pp. 96 y ss.

33. Remisión al Capítulo I.1. de esta obra.

34. *vid.* "Regular la inteligencia artificial (en Derecho Administrativo)" en *El blog. Revista de Derecho Público*, por Alejandro HUERGO LORA (http://blogrdp.revistasmarcial pons.es/blog/regular-la-inteligencia-artificial-en-derecho-administrativo-por-alejandro-huergo-lora/). También en HUERGO LORA, A.: "Una aproximación a los

en un procedimiento de licitación o en un procedimiento selectivo, por ejemplo. De hecho, algunas normas jurídicas o bases de licitaciones o de procedimientos selectivos ya describen su supuesto de hecho con una fórmula matemática. En relación a estos, es fácil, a efectos de poder controlar la actuación de la Administración, coger lápiz y papel y aplicar la "norma" a mano, sin el algoritmo y comprobar si la aplicación algorítmica es correcta o no.

Hay otros algoritmos que también sirven para mecanizar o automatizar procedimientos reglados, pero son más complejos que los anteriores; de hecho, el proceso es tan complejo que no será fácil coger "lápiz y papel" y poder replicar el resultado del algoritmo; por ejemplo, utilizados en concursos de traslados o asignación de plazas MIR. En estos, los resultados individuales están interconectados. El control del resultado es más difícil de escrutar, aquí será necesario verificar cómo funciona el algoritmo.

Pero también hay algoritmos de tipo predictivo, que contribuyen a orientar la toma de decisiones y que, a diferencia de los anteriores, sí aportan decisiones propias. Su efecto sería equiparable a un baremo, pero con la peculiaridad de que en este caso el baremo no lo fija la norma o unas bases de un concurso o un pliego de un contrato (decisiones administrativas, al fin y al cabo) sino que lo determina el propio algoritmo a partir del análisis de casos precedentes.

En segundo lugar, VESTRI pone el acento en las expresiones aritméticas, relacionales y lógicas, que son utilizadas en la programación informática, y diferencia tres tipos de algoritmos: el aritmético (que ejecuta una acción compleja), el relacional (que transmite un resultado comparativo) y el lógico (que opera de forma predictiva y trata de replicar la cognición humana). Los dos primeros, el aritmético y el relacional (que sube algo la intensidad respecto del primero) serían meramente instrumentales; un instrumento, una herramienta puesta en manos de la Administración; esto es, del órgano administrativo competente para resolver el procedimiento. El tercer tipo, el algoritmo lógico, es capaz de operar de forma predictiva frente a la resolución final[35].

La resolución adoptada por el algoritmo lógico podría ser totalmente automatizada, o podría ser también un apoyo, un instrumento, para

---

algoritmos desde el Derecho Administrativo", en libro colectivo *La regulación de los algoritmos*, Aranzadi Thomson Reuters, 2020, pp. 23 a 85.

35. *vid.* VESTRI, G.: "La inteligencia artificial ante el desafío de la transparencia algorítmica. Una aproximación desde la perspectiva jurídico-administrativa", *Revista aragonesa de Administración Pública*, 2021, pp. 373 y ss.

adoptar la decisión final. Este tipo de algoritmos lógico/predictivos (sin intervención humana) son los que, realmente, plantean problemas éticos y legales importantes (remisión al caso Loomis y al sistema COMPAS, Capítulo III, 2.2. de esta obra). Recordemos que la propuesta de Reglamento de la Unión Europea sobre IA exige la intervención humana para los sistemas de IA de alto riesgo.

Otro de los problemas importantes que plantean los algoritmos, cuando son utilizados por las Administraciones Públicas, es si pueden ser utilizados solo cuando las Administraciones Públicas ejercen potestades regladas o, también, cuando ejercen potestades discrecionales. Y, también, por supuesto, está el tema de su naturaleza jurídica.

5. ALGORITMOS EN EL EJERCICIO DE POTESTADES REGLADAS Y DISCRECIONALES

Sin duda, el uso de la Inteligencia Artificial por parte de las Administraciones Públicas puede entrañar riesgos para la seguridad jurídica; sobre todo la utilización de algoritmos de tipo predictivo, con capacidad de aprendizaje automático e, incluso, profundo, y toma de decisiones, porque pueden crear discriminación, porque pueden suponer una intromisión en la privacidad, por su opacidad y falta de transparencia, por la posible utilización de datos personales, etc.[36]. Pero tampoco parece correcto que solo se vean riesgos cuando se utilizan algoritmos y cuando intervienen humanos no[37]. Cuando la actuación de la Administración sea algorítmica habrá que proyectar sobre ella los mismos principios constitucionales[38] y principios generales de actuación administrativa que cuando la Administración actúa sin el complemento de la Inteligencia Artificial. Al fin y al cabo, la Inteligencia Artificial es, tan solo, una herramienta a disposición de la Administración, que puede utilizar para mejorar su eficacia y su eficiencia.

En la actualidad, no es una cuestión controvertida el hecho de que la Administración Pública utilice IA, en actuaciones automatizadas, en el

---

36. *vid.* CERRILLO I MARTÍNEZ, A.: "El impacto de la inteligencia artificial en el Derecho Administrativo ¿nuevos conceptos para nuevas realidades técnicas?", *Revista General de Derecho Administrativo*, n.º 50, 2019, pp. 14 y ss.

37. *vid.* "Regular la inteligencia artificial (en Derecho Administrativo)", *El blog. Revista de Derecho Público*, por Alejandro HUERGO LORA.

38. *vid.* BOIX PALOP, A.: "Los algoritmos son reglamentos: la necesidad de extender las garantías propias de las normas reglamentarias a los programas empleados por la Administración para la adopción de decisiones", *Revista de Derecho Público: Teoría y Método*, Marcial Pons, Vol. 1, 2020, p. 234.

ejercicio de potestades regladas (aquellas en las que la Administración se limita a aplicar automáticamente la Ley) pero sí lo es el hecho de que puedan adoptarse en el marco de potestades discrecionales (aquellas donde la Administración sí puede introducir criterios de valoración subjetiva, optando entre distintas alternativas, siempre que éstas sean igualmente válidas para el Derecho y no incurran, por tanto, en arbitrariedad)[39].

En este sentido, nuestra Ley de Procedimiento Administrativo (Ley 39/2015) [RCL 2015, 1477], nada dice al respecto, pero, por ejemplo, la Ley alemana de procedimiento administrativo ha introducido la prohibición de uso de algoritmos para la adopción de decisiones automatizadas que afecten a derechos de los ciudadanos que puedan tener un contenido discrecional[40].

En el mismo sentido se pronuncia, en nuestro país, a nivel autonómico, la Ley catalana de régimen jurídico y de procedimiento de las administraciones públicas de Cataluña [LCAT 2010, 535][41].

"Sólo son susceptibles de actuación administrativa automatizada los actos que puedan adoptarse con una programación basada en criterios y parámetros objetivos".

En el plano doctrinal, MARTÍN DELGADO se muestra partidario de trasladar la prohibición establecida en la Ley alemana, respecto del ejercicio de potestades discrecionales, al ordenamiento jurídico español[42]. En la misma línea, PONCE SOLÉ se muestra partidario de establecer una reserva legal de ejercicio de potestades discrecionales a favor de los seres humanos, porque la discrecionalidad implica empatía y, en todo caso, entiende que "en el ámbito de las decisiones discrecionales, la actividad administrativa solo puede ser semi-automatizada, no totalmente

---

39. *vid.* GARCÍA DE ENTERRÍA, E. y FERNÁNDEZ, T.R.: *Curso de Derecho Administrativo*, Vol. 1., 11.ª ed., 2000, pp. 454 y ss.
40. *vid.* §35VwVfG, citada por BOIX PALOP, A: "Los algoritmos son reglamentos: la necesidad de extender las garantías propias de las normas reglamentarias a los programas empleados por la Administración para la adopción de decisiones", *Revista de Derecho Público: Teoría y Método*, Marcial Pons, Vol. 1, 2020, p. 231. También se refiere a ella (al párrafo 35a de la Ley Federal de Procedimiento Administrativo, añadido en 2016) HUERGO LORA, A.: "Una aproximación a los algoritmos desde el Derecho Administrativo", en libro colectivo *La regulación de los algoritmos*, Aranzadi Thomson Reuters, 2020, p. 79. El autor entiende que esto ha de interpretarse como una prohibición de que estas decisiones se adopten de forma totalmente automatizada, pero no como una prohibición de utilizar decisiones algorítmicas en su elaboración.
41. *vid.* Ley catalana 26/2010, de 3 de agosto, de régimen jurídico y de procedimiento de las administraciones públicas de Cataluña [LCAT 2010, 535].
42. *vid.* MARTÍN DELGADO, I.: "Naturaleza, concepto y régimen jurídico de la actuación administrativa automatizada", *Revista de Administración Pública*, núm. 180, 2009, p. 371.

automatizada. La IA podrá hacerse servir como apoyo, pero la ponderación final que conduzca a la decisión debería ser humana"[43].

HUERGO LORA, por su parte, sí ve posible la utilización de algoritmos predictivos cuando se ejercen potestades discrecionales, aunque no para la adopción de resoluciones administrativas; solo en supuestos en los que la norma no vincula el contenido de la decisión administrativa a la constatación de uno o varios hechos sino que establece un marco dentro del que es válida cualquier decisión que tome la Administración, siempre que esté adecuadamente motivada y se hayan respetado las normas procedimentales[44].

Otros autores, ven la utilización de la IA en actuaciones discrecionales de la Administración como algo todavía no cercano, al entender que de momento la IA no está preparada para llevar a cabo adecuadamente la ponderación o valoración de los distintos intereses en juego[45], mientras que otros afirman que "en breve, cuando no ya en la actualidad" el Derecho deberá enfrentarse a esta posibilidad[46].

El Consejo de Estado italiano también se ha pronunciado sobre los algoritmos utilizados por la Administración Pública en la adopción de decisiones administrativas[47]. En concreto, sobre un concurso de provisión de puestos de trabajo de personal docente. La asignación de destinos había sido conferida a un programa informático que utilizaba un algoritmo para la adjudicación de destinos.

La sentencia señala que el uso de algoritmos informáticos, para la adopción de decisiones administrativas automatizadas, representan un claro beneficio en términos de eficiencia y neutralidad y que también la Administración Pública puede beneficiarse de la denominada revolución digital. Sin embargo, no parece delegar en el algoritmo la decisión final,

---

43. *vid.* PONCE SOLÉ, J.: "Inteligencia artificial, Derecho Administrativo y reserva de humanidad: algoritmos y procedimiento administrativo debido tecnológico", *Revista General de Derecho Administrativo*, n.° 50, 2019, pp. 26, 27, 28 y 29.

44. *vid.* HUERGO LORA, A.: "Una aproximación a los algoritmos desde el Derecho Administrativo", en libro colectivo *La regulación de los algoritmos*, Aranzadi Thomson Reuters, 2020, pp. 78 y 79.

45. *vid.* CERRILLO I MARTÍNEZ, A.: "El impacto de la inteligencia artificial en el Derecho Administrativo ¿Nuevos conceptos para nuevas realidades técnicas?", *Revista General de Derecho Administrativo*, n.° 50, 2019, pp. 21 y 22.

46. *vid.* BOIX PALOP, A.: "Los algoritmos son reglamentos: la necesidad de extender las garantías propias de las normas reglamentarias a los programas empleados por la Administración para la adopción de decisiones", *Revista de Derecho Público: Teoría y Método*, Marcial Pons, Vol. 1, 2020, p. 229.

47. *vid.* Sentencia del Consejo de Estado italiano 08472/2019, 13 de diciembre de 2019, analizada por VESTRI, G.: "La inteligencia artificial ante el desafío de la transparencia algorítmica. Una aproximación desde la perspectiva jurídico-administrativa", *Revista aragonesa de Administración Pública*, 2021, pp. 378, 379 y 340.

sino que determina la posibilidad de utilizarlo para poder fundamental la decisión final. Los algoritmos, por tanto, dice la sentencia, deben poder permitir el conocimiento previo del modelo utilizado y de los criterios aplicados por dichos algoritmos y la decisión adoptada debe ser imputable al órgano titular, que debe poder desarrollar la necesaria verificación de la lógica y legitimación de la elección y de los resultados delegados al algoritmo. Como señala VESTRI, al analizar la sentencia, "La decisión administrativa debe poder ser controlada y en su caso rectificada por el personal del órgano administrativo correspondiente".

La sentencia analiza, en el caso concreto, el uso de algoritmos en potestades regladas, ya que los méritos alegados por el personal docente están reglados, pero no descarta su posible utilización en el ámbito de la discrecionalidad técnica[48], dentro de los límites anteriormente señalados.

6. LA NATURALEZA JURÍDICA DE LOS ALGORITMOS

"El código es ley" escribía Lawrence LESSIG en su obra *Code version 2.0*[49] construyendo con sus palabras puentes entre dos mundos, el informático y el jurídico. El código es la letra de la ley y el algoritmo es la estructura que define el proceso. "El control del código es poder" Y si el código es la ley, entonces la pregunta que deberíamos plantear es obviamente ésta: ¿quiénes son los legisladores?[50]; en consecuencia, ¿quién tiene el control del código tiene el poder?[51]

¿Qué son los algoritmos para el Derecho? ¿Qué naturaleza jurídica tienen los algoritmos? ¿Y, en particular, qué naturaleza jurídica tienen los algoritmos utilizados por las Administraciones Públicas? ¿Son reglamentos? ¿Son actos administrativos?

Las preguntas qué surgen en torno a esta cuestión son, sin duda, importantes para el Derecho y, las respuestas, de momento son controvertidas.

En relación a lo anterior DE LA CUEVA ha dicho, parafraseando la conocida frase del conde de ROMANONES "haga usted la ley y el reglamento y déjeme la aplicación informática"[52]. A lo que yo añadiría "haga usted (legislador) la ley, hagan ustedes (Gobierno y Administración)

---

48. *vid*. Fundamento de Derecho 11 de la Sentencia del Consejo de Estado italiano 08472/2019, 13 de diciembre de 2019.
49. 2006, pp. 37 y ss.
50. Ibídem, pp. 504-505.
51. Ibídem, p. 142.
52. *vid*. DE LA CUEVA, J.: "El derecho a no ser gobernados mediante algoritmos secretos", en *El Notario del siglo XXI*, septiembre/octubre, 2019, p. 9.

los reglamentos, hagan ustedes (informáticos) la aplicación informática y déjenme a mí (jurista) la auditoría legal del algoritmos y de todo el conjunto".

CERRILLO deja apuntadas algunas cuestiones como las siguientes, ¿qué naturaleza jurídica debe reconocerse a la propia tecnología como instrumento de regulación? ¿El código de un algoritmo es una norma jurídica? ¿Los algoritmos con aprendizaje automático pueden innovar el ordenamiento jurídico al incorporar criterios que no estén explícitamente en la norma? En cualquier caso, advierte, el procedimiento de elaboración de algoritmos dista mucho de cumplir con trámites propios del procedimiento de elaboración de los reglamentos y, en particular, su publicación[53].

Para BOIX PALOP el código fuente de un algoritmo es, también, código jurídico, "pero en una versión nueva y más avanzada: una suerte de código 2.0 que el Derecho tiene que asumir como tal y cuya regulación habrá de afrontar". No obstante, precisa que no todos los supuestos son iguales, pero que "los algoritmos y programas empleados para adoptar decisiones administrativas o que influyen en ellas, bien en la identificación del supuesto de hecho, bien en la determinación de las consecuencias jurídicas, son normas reglamentarias y que como tal han de ser tratadas". De tal forma que "todos los algoritmos empleados por la Administración Pública, de forma no instrumental, producen materialmente los mismos efectos que cualquier reglamento, al preordenar la decisión final del poder público…a partir de los postulados contenidos en la programación". En este caso, los algoritmos tendrían naturaleza reglamentaria y lo más natural sería aplicarles las garantías jurídicas que nuestro Derecho ya tiene establecidas para ellos[54].

Para PONCE SOLÉ, en el ámbito de potestades regladas, los algoritmos no tienen naturaleza jurídica normativa pues se limitan a sustituir al decisor humano; la máquina se limitaría a adaptar la decisión por delegación del humano y este sería, a todos los efectos, a quien se imputaría la decisión. No obstante, en el ámbito de potestades discrecionales, se abrirían nuevas posibilidades y problemas; por lo que entiende que debe establecerse una suerte de "reserva de humanidad" (reserva de decisiones a favor de los humanos) cuando se ejercen potestades discrecionales, o a

---

53. *vid*. CERRILLO I MARTÍNEZ, A.: "El impacto de la inteligencia artificial en el Derecho Administrativo ¿Nuevos conceptos para nuevas realidades técnicas?", *Revista General de Derecho Administrativo*, n.º 50, 2019, p. 10.

54. *vid*. BOIX PALOP, A.: "Los algoritmos son reglamentos: la necesidad de extender las garantías propias de las normas reglamentarias a los programas empleados por la Administración para la adopción de decisiones", *Revista de Derecho Público: Teoría y Método*, Marcial Pons, Vol. 1, 2020, pp. 234 y ss. y 262 y 263.

la hora de apreciar la concurrencia de conceptos jurídicos indeterminados (como la buena fe), porque la discrecionalidad implica empatía. Se plantea, por tanto, prohibir la IA en relación con el ejercicio de potestades discrecionales, incluidas las planificadoras o reglamentarias[55].

ARROYO JIMÉNEZ sostiene, por su parte, que los algoritmos no son reglamentos porque, aunque puedan tener una función reguladora y de concretarse en disposiciones abstractas, no operan por sí solos como presupuestos de validez de los actos dictados por las Administraciones Públicas. Si éstas se separan de las decisiones adoptadas por los algoritmos, los actos correspondientes no serían necesariamente inválidos porque no se habría incurrido en una infracción del ordenamiento jurídico. No es necesario atribuirles la naturaleza reglamentaria para obligarles a cumplir las garantías propias de un Estado de Derecho, como la publicidad o la transparencia[56].

HUERGO LORA, mantiene que "los algoritmos son algoritmos y los reglamentos son reglamentos". En este sentido, sostiene que el algoritmo o tiene un valor meramente auxiliar en la aplicación de la norma o bien es "algo más" y entonces requiere la autorización de una norma y la aplicación de todas las garantías aplicables a las normas. No puede admitirse que la Administración regule mediante algoritmos. En este sentido, se pregunta ¿se podría habilitar a la Administración para que desarrolle una norma jurídica mediante un algoritmo? Es decir, "¿podría una norma jurídica remitirse a una aplicación informática para que en ella se completen los criterios establecidos en la propia norma?". En su opinión, no sería posible, entiende que "los algoritmos no sirven para la introducción de un contenido jurídicamente innovador, vinculante, que ha de establecerse a través de normas o, en su caso, de actos administrativos, que podrán ser aplicados, si la Administración lo considera adecuado, a través de algoritmos". No obstante, lo que sí es posible encontrar, sigue diciendo, son algoritmos en el sentido de "formulas", que están incluidos en la propia norma, pero estos algoritmos no aplican la norma, sino que forman parte del contenido de ella[57].

Por último, VESTRI sostiene que los algoritmos aritméticos y relacionales son un instrumento de apoyo a la actividad desarrollada por el correspondiente órgano administrativo; formalmente, serían actos

---

55. *vid.* PONCE SOLÉ, J.: "Inteligencia artificial, Derecho Administrativo y reserva de humanidad: algoritmos y procedimiento administrativo debido tecnológico", *Revista General de Derecho Administrativo*, n.° 50, 2019, pp. 26 y ss.

56. *vid.* ARROYO JIMÉNEZ, L.: "Algoritmos y reglamentos", *Almacén de Derecho*, 25 de febrero, 2020, https://almacendederecho.org/algoritmos-y-reglamentos.

57. *vid.* HUERGO LORA, A.: "Una aproximación a los algoritmos desde el Derecho Administrativo", en libro colectivo *La regulación de los algoritmos*, Aranzadi Thomson Reuters, 2020, pp. 66 y 69.

administrativos de trámite (que preparan y hacen posible el último acto del procedimiento, la resolución) y no un acto administrativo que finaliza el procedimiento administrativo. Sin embargo, los algoritmos predictivos, plantean una problemática especial; sobre todo si se pretendiese su utilización para adoptar una resolución administrativa definitiva. No obstante, si se plantea su uso como un instrumento de apoyo para mejorar la decisión definitiva, por el órgano administrativo, que ejerce las potestades públicas, sí sería admisible su utilización[58].

Recordemos, en relación a lo anterior, que uno de los requisitos de los sistemas de IA (que utilizan algoritmos y datos) es la acción y supervisión humana (remisión al Capítulo II.1. de esta obra). Por otra parte, la propuesta de Reglamento de la Unión Europea sobre IA diseña, como sabemos, una regulación de la IA basado en el riesgo. En función de lo anterior determinados sistemas de IA quedan directamente prohibidos, por vulnerar valores de la Unión y, especialmente, por facilitar la vulneración de derechos fundamentales, otros considerados de alto riesgo (por ser potencialmente lesivos para la seguridad de las personas o para el respecto de los derechos fundamentales) y los de riesgo mediano o bajo. La mayoría de las actuaciones de las Administraciones Públicas, si se realizasen utilizando sistemas de IA, entrarían dentro de la calificación de sistemas de IA de alto riesgo (aplicación de leyes, gestión de la migración, el asilo y el control de fronteras, servicios públicos y servicios esenciales,…) quedando, por tanto, sometidos al cumplimiento de los requisitos obligatorios que hemos venido analizando. Entre dichos requisitos se encuentra, precisamente, la vigilancia humana. La vigilancia humana facilita el respeto de los derechos fundamentales (por ejemplo, derecho a la tutela judicial efectiva, presunción de inocencia, juez imparcial, principio de buena administración… recogidos en la Carta de los Derechos Fundamentales de la Unión Europea [LCEur 2000, 3480]) ya que disminuye las decisiones erróneas o sesgadas[59]. En concreto, reproducimos parte del artículo 14 de la propuesta de Reglamento de la Unión Europea sobre IA:

Artículo 14

Vigilancia humana

1. Los sistemas de IA de alto riesgo se diseñarán y desarrollarán de modo que puedan ser vigilados de manera efectiva por personas físicas durante el período que estén en uso, lo que incluye dotarlos

---

58. *vid.* VESTRI, G.: "La inteligencia artificial ante el desafío de la transparencia algorítmica. Una aproximación desde la perspectiva jurídico-administrativa", *Revista aragonesa de Administración Pública*, 2021, pp. 376, 377, 378 y 393.

59. *vid.* Exposición de Motivos 3.5. de la Propuesta de Reglamento de la UE sobre IA.

de una herramienta de interfaz humano-máquina adecuada, entre otras cosas.

2. El objetivo de la vigilancia humana será prevenir o reducir al mínimo los riesgos para la salud, la seguridad o los derechos fundamentales que pueden surgir cuando un sistema de IA de alto riesgo se utiliza conforme a su finalidad prevista o cuando se le da un uso indebido razonablemente previsible, en particular cuando dichos riesgos persisten a pesar de aplicar otros requisitos establecidos en el presente capítulo...

3. Las medidas mencionadas en el apartado 3 permitirán que las personas a quienes se encomiende la vigilancia humana puedan, en función de las circunstancias: ...

   a) ser conscientes de la posible tendencia a confiar automáticamente o en exceso en la información de salida generada por un sistema de IA de alto riesgo ("sesgo de automatización"), en particular con aquellos sistemas que se utilizan para aportar información o recomendaciones con el fin de que personas físicas adopten una decisión;

   b) interpretar correctamente la información de salida del sistema de IA de alto riesgo, teniendo en cuenta en particular las características del sistema y las herramientas y los métodos de interpretación disponibles;

   c) decidir, en cualquier situación concreta, no utilizar el sistema de IA de alto riesgo o desestimar, invalidar o revertir la información de salida que este genere; ...

En relación a todo lo anterior, entendemos que la utilización de sistemas de IA de alto riesgo, y especialmente la adopción de decisiones administrativas, totalmente automatizadas o no, de las Administraciones Públicas requiere de Vigilancia Humana, por las potestades y prerrogativas públicas que se ejercen. La utilización de algoritmos, en los sistemas de IA que sean considerados de alto riesgo, por parte de las Administraciones Públicas requiere, por tanto, Vigilancia Humana. Ahora bien, habrá que determinar qué tipo o qué grado de vigilancia humana se requiere en el caso de actuaciones y decisiones automatizadas ¿Quién o quiénes tendrán que realizarla y en qué momento? ¿Tendrá que ser realizada, previamente, por algún órgano administrativo al que se le encomiende tal función, o bien por el órgano administrativo competente para resolver, o bastará con que se realice dicha supervisión humana en fase de recurso administrativo? Por otra parte, también es fácil advertir que no se requerirá el mismo grado de supervisión humana si se trata de una actuación administrativa automatizada que consiste en la emisión de un certificado que si se trata de una resolución administrativa.

Los algoritmos son un instrumento, una herramienta más puesta en manos de la Administración Pública que pueden ayudar a la toma de decisiones; puede ser utilizados para ayudar a la toma de decisiones para iniciar un concreto procedimiento administrativo, dar lugar a actos de trámite, servir de apoyo a la resolución final o, incluso, generar una actuación automatizada (que puede consistir, incluso, en la resolución final; hecho admitido en relación a potestades regladas y controvertido respecto a las discrecionales) en todo caso imputable al órgano administrativo y, más en concreto, a su titular, ya sea en el ejercicio de potestades regladas o discrecionales; aunque, evidentemente, el grado de vigilancia humana, exigible, no será el mismo en unas que en otras, ni será la misma en relación a todos los tipos de actuaciones automatizadas (la emisión de un certificado o de una resolución administrativa, como decíamos anteriormente).

7. LIMITACIONES DE LA INTELIGENCIA ARTIFICIAL PARA AUTOMATIZAR DECISIONES JURÍDICAS. EL DESARROLLO DE LOS LENGUAJES INFORMÁTICOS, EN ESTE CONTEXTO. ESTADO DE LA CUESTIÓN

La mayor limitación para poder aplicar la IA para automatizar decisiones jurídicas, por ejemplo, resoluciones administrativas, proviene de la dificultad de estos sistemas de poder explicar (motivar) las decisiones de los sistemas inteligentes basados en aprendizaje automático[60]. La explicabilidad es un requisito exigible a los sistemas de IA. Las decisiones generadas por los sistemas de IA deben poder ser explicables y auditables por humanos, por lo que deben de poder ser explicables en lenguaje natural (no informático), para profesionales sin formación informática y, por supuesto, para los ciudadanos (destinatarios últimos de los actos administrativos).

---

60. *vid.* WEBB, J.: "Legal Technology: The Great Disruption?", *University of Melbourne Legal Studies Research Paper*, 2020, p. 897 y DARPA: *Explainable Artificial Intelligence (XAI)*. Defense Advanced Research Projects Agency, 2017, https://www.darpa.mil/program/explainable-artificial-intelligence. Y, en concreto, sobre la dificultad de traducir conceptos jurídicos indeterminados y discrecionalidad, *vid.* PERTIERRA, M. A.; LAWSKY, S., HEMBERG, E. and O'REILLY, U.M.: "Towards Formalizing Statute Law as Default Logic through Automatic Semantic Parsing", en ASAIL@ ICAIL, 2017.

Bibliografía aportada por el profesor de lenguajes y sistemas informáticos de la URJC, Joaquín ARIAS HERRERO, de la Escuela Técnica Superior en Ingeniería Informática.

El desarrollo de los lenguajes informáticos avanza, notablemente, en este sentido[61]. Existen ya, en la actualidad, lenguajes informáticos que

---

61. El profesor Joaquín ARIAS HERRERO, profesor de lenguajes y sistemas informáticos, de la Escuela Técnica Superior de Ingeniería Informática, de la URJC, nos ha proporcionado la información y bibliografía que sigue a continuación. Agradezco, públicamente, su colaboración. En concreto, el profesor ARIAS, ha desarrollado el s(LAW), basado en s(CASP). Se trata de un razonador no monótono que codifica Constraint Answer Set Programming. Es el único sistema informático que permite modelar conceptos jurídicos indeterminados, ambiguos o discrecionales. Adicionalmente s(LAW) permite obtener diferentes conclusiones en lenguaje natural facilitando su análisis por los profesionales sin formación en informática. *vid.* ARIAS, J.; MORENO-REBATO, M.; RODRIGUEZ-GARCÍA, J. A. and OSSOWSKI, S.: "Modeling Administrative Discretion Using Goal-Directed Answer Set Programming", *XIX Conferencia de la Asociación Española para la Inteligencia Artificial (CAEPIA).* Málaga, 2021. El profesor ARIAS nos proporciona, además, información sobre otros lenguajes informáticos aplicables al ámbito del Derecho. En concreto, ErgoAI (https://coherentknowledge.com), basado en XSB, que genera árboles de justificación para programas con variables. ErgoAI se ha aplicado para analizar flujos de cumplimiento de normativas y políticas financieras casi en tiempo real, proporcionando explicaciones en inglés totalmente detalladas y navegables de forma interactiva. Sin embargo, ErgoAI no permite la representación de la ambigüedad y/o la discrecionalidad administrativa, *vid.* sobre XSB, SWIFT, T., WARREN, D.S.: "XSB: Extending Prolog with Tabled Logic Programming"; *Theory and Practice of Logic Programming*, 2012, 12 (1-2), pp. 157–187. https://doi.org/10.1017/S1471068411000500. Por otra parte, Catala, es un nuevo lenguaje, adaptado específicamente para traducir el Derecho computacional en especificaciones ejecutables. Se trata de un lenguaje formal que permite distribuir implementaciones ajustadas a las leyes y su compilación en diversos lenguajes de programación –facilitando la auditoría, evaluación y mantenimiento de las partes computacionales de las leyes–. El código resultante sigue la estructura existente de los estatutos legales, y permite una correspondencia uno a uno entre los párrafos legales y su traducción en Catala. Al está basado en "prioritized default logic", Catala permite ordenar las reglas en función de su precedencia relativa. Sin embargo, para determinar dicha precedencia es necesario interpretar las leyes para evitar ambigüedades; *vid.* MERIGOUX, D.; CHATAING, N. and PROTZENKO, J.: "Catala: A Programming Language for the Law", 2021, arXiv preprint arXiv:2103.03198. Y, también, L4, es un prototipo de lenguaje específico para la redacción de leyes y contratos. Se propone un lenguaje de alto nivel que permite separar la capa legal de la capa de aplicación. El pipeline resultante (que incluye s(CASP)) permite generar justificaciones en lenguaje natural (NLG) a partir de un conjunto de reglas redactadas en L4. Sin embargo, la conexión entre el código escrito en L4 y las reglas lógicas de s(CASP) no es automática y requiere información adicional; *vid.* LISTENMAA, I.; MORRIS, J.; ANG, A.; HANAFIAH, M. and CHEONG, R.: "An NLG pipeline for a legal expert system: a work in progress", 2021, arXiv preprint arXiv: 2107.02421.

Sobre el Derecho computacional, *vid.* SERGOT, M. J.; SADRI, F.; KOWALSKI, R. A.; KRIWACZEK, F.; HAMMOND, P. and CORY, H. T.: "The British Nationality Act as a logic program", *Communications of the ACM (Association of Computing Machinery), vol.* 29, 5 (May 1986). DOI=http://dx.doi.org/10.1145/5689.5920; BRANTING, L. K.: "Data-centric and logic-based models for automated legal problem solving", *Artificial Intelligence and Law*, 2017, 25 (1); ASHLEY, K.: *Artificial Intelligence and Legal Analytics: New Tools for Law Practice in the Digital Age*, 2017, Cambridge, Cambridge University Press.

son capaces de convertir/traducir/modelar normas jurídicas a lenguaje informático y ser capaces de ejecutarlas (no solo leerlas). Hay lenguajes informáticos que no permiten la representación de la ambigüedad, la discrecionalidad o los conceptos jurídicos indeterminados y otros, en los que ya se está trabajando, como por ejemplo el profesor ARIAS HERRERO, que permiten modelar conceptos jurídicos indeterminados, ambiguos o discrecionales, siendo incluso, algunos de ellos, capaces de ofrecer múltiples modelos, diferentes conclusiones, diferentes opciones, en definitiva. La tendencia, por tanto, es que los lenguajes informáticos van avanzando hacia la consecución de estos objetivos.

No es fácil admitir que el legislador, o los titulares de la potestad reglamentaria, queden limitados a la hora de redactar una norma jurídica para que sea más fácil de traducir y ejecutar por una aplicación informática; adaptándose éste, el legislador o regulador, a las limitaciones del lenguaje informático, pero si los lenguajes informáticos avanzan y son capaces de incluir (modelar) conceptos jurídicos indeterminados y discrecionales podrían, quizás, en un futuro, encontrarse en un punto intermedio y pudiera ocurrir que las normas jurídicas pudiesen elaborarse en dos formatos, en lenguaje natural y en lenguaje informático y permitir su ejecución completa[62].

8. CONSIDERACIONES FINALES

La Unión Europea ha articulado toda una agenda europea en torno a la IA. Tanto el Libro Blanco sobre la IA como la propuesta de Reglamento de la UE sobre IA, como la Estrategia española de I+D+I en IA consideran

---

62. Como es sabido, hoy en día, los boletines oficiales ofrecen una versión en lenguaje informático, en XML (https://www.boe.es/datosabiertos/documentos/Sumarios-BOE_v_1_0.pdf); es decir, tan solo en una versión de lectura. El salto cualitativo sería que ofrecieran una versión en lenguaje ejecutable, como el s(LAW). Evidentemente, en esto último he dejado "volar mi imaginación", siendo consciente (o a lo mejor no tanto) de la trascendencia que dicho salto cualitativo conllevaría para el Derecho. Una pequeña "licencia" que me he permitido. Y, en este contexto, surgirían todas las cuestiones que se plantea HUERGO LORA ¿Se podría utilizar un algoritmo para habilitar a la Administración para desarrollar una norma mediante algoritmo? O "¿podría una norma jurídica remitirse a una aplicación informática para que en ella se completen los criterios establecidos en la propia norma?", *vid.* HUERGO LORA, A.: "Una aproximación a los algoritmos desde el Derecho Administrativo", en libro colectivo *La regulación de los algoritmos*, Aranzadi Thomson Reuters, 2020, p. 69. Y, quizás, en este contexto, BOIX PALOP, simplemente se esté adelantando a tal posibilidad, *vid.* BOIX PALOP, A.: "Los algoritmos son reglamentos: la necesidad de extender las garantías propias de las normas reglamentarias a los programas empleados por la Administración para la adopción de decisiones", *Revista de Derecho Público: Teoría y Método*, Marcial Pons, Vol. 1, 2020.

fundamental que las Administraciones Públicas y el Sector Público, en su conjunto, utilicen la IA.

Por otra parte, los sistemas de IA calificados de alto riesgo por la propuesta de Reglamento de la Unión Europea encajan dentro de las actuaciones que llevan a cabo las Administraciones Públicas (aplicación de la ley, gestión de la migración, el asilo y el control de fronteras, gestión y funcionamiento de infraestructuras esenciales, educación y formación profesional, empleo acceso y disfrute de servicios públicos, etc.) por lo que, si dichas actuaciones se realizan utilizando sistemas de IA, dichos sistemas quedarán sometidos al cumplimiento de requisitos obligatorios una vez aprobado, definitivamente, el mismo.

Las Administraciones Públicas españolas empiezan a desplegar el uso de la IA en distintos sectores y ámbitos de actuación y ya empiezan a detectarse cambios a nivel orgánico, con la creación de órganos específicos que asumen competencias en materia de IA, de forma expresa.

La Legislación administrativa, por su parte, se muestra insuficiente respecto de la regulación de las actuaciones administrativas automatizadas y urge su reforma. Es necesario reflejar, en dicha normativa, su posible uso dentro de las distintas fases del procedimiento administrativo (inicio, tramitación y resolución). Es necesario especificar si solo se admiten en el uso de potestades regladas o también en las discrecionales. Es necesario concretar qué tipo de algoritmos se admiten (aritméticos, relacionales, predictivos, con aprendizaje automático, con aprendizaje profundo, etc.) y concretar aspectos relativos a su publicidad, transparencia, trazabilidad, supervisión humana, explicabilidad y responsabilidad; y concretar si hay que publicar su utilización en páginas web oficiales, si existe un registro público de algoritmos, si hay que notificar a los interesados, si se permite o no el acceso al código fuente, por tercero interesado o por una autoridad administrativa independiente, si se admiten programas con licencia de uso o se requiere la adquisición del programa o la creación del propio sistema de IA por parte de la Administración (y determinar, en su caso, si forman parte del dominio público), si se deben usar programas abiertos o declararlos de fuentes abiertas, si queda sometido su uso a auditorías internas y externas, si existe una autoridad administrativa independiente de supervisión y control, etc.

En definitiva, son muchos y variados los nuevos retos que plantean los sistemas de IA en las actuaciones y políticas publicas llevadas a cabo por las Administraciones Públicas. Retos, que también lo serán, del Derecho Administrativo del siglo XXI.

Capítulo VII
Bibliografía

AL-RODHAN, N.: "The Moral Code: How to Teach Robots Right and Wrong", *Foreign Affairs* (New York, August 12, 2015), https://www.foreignaffairs.com/articles/2015-08-12/moral-code.

ANDERSON, K. and WAXMAN, M.: *Law and Ethics for Autonomous Weapon Systems Why a Ban Won't Work and How the Laws of War Can*, Hoover Institution, Stanford University, 2014, http://media.hoover.org/sites/default/files/documents/Anderson-Waxman_LawAndEthics_r2_FINAL.pdf.

ARELLANO TOLEDO, W.: "El derecho a la transparencia algorítmica en big data e inteligencia artificial", *Revista General de Derecho Administrativo*, n.° 50, 2019.

ARIAS, J.; MORENO-REBATO, M.; RODRIGUEZ-GARCÍA, J. A.; and OSSOWSKI, S.: "Modeling Administrative Discretion Using Goal-Directed Answer Set Programming", *XIX Conferencia de la Asociación Española para la Inteligencia Artificial (CAEPIA)*. Málaga, 2021.

ARROYO JIMÉNEZ, L.: "Algoritmos y reglamentos", *Almacén de Derecho*, 25 de febrero, 2020, https://almacendederecho.org/algoritmos-y-reglamentos.

ASHLEY, K.: *Artificial Intelligence and Legal Analytics: New Tools for Law Practice in the Digital Age*, 2017, Cambridge, Cambridge University Press.

ASÍS, R. de: "Inteligencia artificial y Derechos Humanos", *Materiales de Filosofía del Derecho*, n.° 4, 2020.

BAEZA-YATES, R.: "Bias on the web", Communications of the ACM, Volume 61, Issue 6 June 2018, pp 54-61, https://doi.org/10.1145/3209581.

BAROCAS, S. y SELBST, A. D.: "Big Data's Disparate Impact", *California Law Review*, 2016, http://dx.doi.org/10.2139/ssrn.2477899.

BILLHARDT, H.; SANTOS, J. A.; FERNÁNDEZ, A.; MORENO-REBATO, M.; OSSOWSKI, S.; RODRÍGUEZ-GARCÍA, J. A.: "Legal Implications of Novel Taxi Assignment Strategies", en DE LA PRIETA, F. et al. (eds.): *Highlights in Practical Applications of Agents, Multi-Agent Systems, and Trust-worthiness. The PAAMS Collection. PAAMS 2020. Communications in Computer and Information Science*, vol. 1233, 2020, Springer, Cham. https://doi.org/10.1007/978-3-030-51999-5_30.

BOIX PALOP, A.: "Los algoritmos son reglamentos: La necesidad de extender las garantías propias de las normas reglamentarias a los programas empleados por la Administración para la adopción de decisiones", *Revista de Derecho Público: Teoría y Método*. Marcial Pons, vol. 1, 2020.

BRANTING, L. K.: "Data-centric and logic-based models for automated legal problem solving", *Artificial Intelligence and Law*, 2017, 25 (1).

BROGAN, K.: "To Regulate or not to Regulate? That is the AI Question", *Compelo*, 14 February 2017, http://www.compelo.com/ai-regulation.

CALISKAN, A.; BRYSON, J. J.; NARAYANAN, A.: "Semantics derived automatically from language corpora contain human-like biases", *Science*, 14 Apr 2017, Vol. 356; DOI: 10.1126/science.aal4230, pp. 183-186.

CARRILLO, M. R.: "Artificial intelligence: From ethics to law", *Telecommunications Policy*, 2020. https://doi.org/10.1016/j.telpol.2020.101937; The IEEE Global Initiative on Ethics of Autonomous and Intelligent Systems. Classical Ethics in A/IS, en *Ethically Aligned Design*, 2019, pp. 36-67.

CASTELLANOS CLARAMUNT, J.: "La democracia algorítmica: inteligencia artificial, democracia y participación política", en *Revista General de Derecho Administrativo*, n.° 50, 2019.

CASTILLA, A. and ELMAN, J.: "Artificial intelligence and the law", *TechCrunch*, 28 January 2017.

CASTILLO, C.: "Algorithmic Discrimination. Assessing the impact of machine intelligence on human behaviour: an interdisciplinary endeavor". *Proceedings of HUMAINT Workshop*. 2018, https://arxiv.org/pdf/1806.03192.pdf.

CELIS, L. E.; MEHROTRA, A. and VISHNOI, N.K.: "Toward Controlling Discrimination in Online Ad Auctions", 2019, https://arxiv.org/abs/1901.10450.

CERRILLO I MARTÍNEZ, A.: "El impacto de la inteligencia artificial en el Derecho Administrativo ¿nuevos conceptos para nuevas realidades técnicas?", *Revista General de Derecho Administrativo*, n.° 50, 2019.

COTINO HUESO, L.: "Riesgos e impactos del Big Data, la inteligencia artificial y la robótica. Enfoques, modelos y principios de la respuesta del Derecho", *Revista General del Derecho Administrativo*, n.º 50, 2019.

COWGILL, B.; DELL'ACQUA, F.; DENG, S.; HSU, D.; VERMA, N. and CHAINTREAU, A.: "Biased Programmers? Or Biased Data? A Field Experiment in Operationalizing AI Ethics", en *Proceedings of the 21st ACM Conference on Economics and Computation*, 2020, pp. 679-681.

COWGILL, B.: "Bias and Productivity in Humans and Machines", Upjohn Institute Working Paper, 2019, pp. 19-309, *Columbia Business School Research Paper Forthcoming*, http://dx.doi.org/10.2139/ssrn.3433737.

DANAHER, J.: "Is effective regulation of AI possible? Eight potential regulatory problems", *Philosophical Disquisitions*, 7 July 2015.

DE DONNO, M.: "The French Code 'Des Relations Entre Le Public Et L'Administration'. A New European Era for Administrative Procedure?", *Italian Journal of Public Law* 2, 2017, pp. 220-260.

DE LA CUEVA, J.: "Datos, Derecho y nuevas tecnologías: privacidad y publicidad", en *El Notario del siglo XXI*, n.º 77, 2018.

– "El derecho a no ser gobernados mediante algoritmos secretos", en *El Notario del siglo XXI*, septiembre/octubre, 2019.

DESAI, D. R., & KROLL, J. A.: "Trust but verify: A guide to algorithms and the law", *Harvard Journal of Law & Technology*, 31 (1), 2017, pp. 1-64.

DHALIWAL, H. K.: "Algorithmic Bias and Its Problem, Solution, and Implications", May 2020, https://commons.marymount.edu/magnificat/algorithmic-bias-and-its-problem-solution-and-implications/.

DRESSEL, J. and FAIRD, H.: "The accuracy, fairness, and limits of predicting recidivism", en *Science Advances, 17*, Vol. 4, no. 1, 2018, https://advances.sciencemag.org/content/4/1/eaao5580.

EDWARDS, L., & VEALE, M.: "Slave to the algorithm: Why a right to an explanation is probably not the remedy you are looking for", *Duke Law & Technology Review, 16*, 2017, p. 18.

EUBANKS, V.: *La automatización de la desigualdad. Herramientas de tecnología avanzada para supervisar y castigar a los pobres*, Capitán Swing Libros, 2021.

FERGUSON, A. G.: "Policing predictive policing", *Washington University Law Review, 94* (5), 2016, pp. 1109-1189.

FERNÁNDEZ MARTÍNEZ, C. y FERNÁNDEZ, A.: "Ethical and Legal Implications of AI Recruiting Software", 22 January 2019, https://

ercim-news.ercim.eu/en116/special/ethical-and-legal-implications-of-ai-recruiting-software.

–: "AI and recruiting software: Ethical and legal implications", De Gruyter, Published online: May 28, 2020, DOI: https://doi.org/10.1515/pjbr-2020-0030.

FERNÁNDEZ SÁNCHEZ, S.: "El algoritmo Frank no es ciego, según la sentencia del Tribunal de Bolonia 31 diciembre 2020, n. 29491", 2021, https://www.transformaw.com/blog/el-algoritmo-frank-no-es-ciego-segun-la-sentencia-del-tribunal-de-bolonia-31-diciembre-2020-n-29491/.

FLORIDI, L.; COWLS, J.; BELTRAMETTI, M.; CHATILA, R.; CHAZE-RAND, P.; DIGNUM, V.; LUETGE, C.; MADELIN, R.; PAGALLO, U.; ROSSI, F.; SCHAFER, B.; VALCKE, P. and VAYENA, E.: "AI4People white paper: Twenty recommendations for an ethical framework for a good AI society", *Minds and Machines, 28*, 2018, pp. 689–707, https://doi.org/10.1007/s11023-018-9482-5.

FLORIDI, L.: "Establishing the rules for building trustworthy AI", *Nature Machine Intelligence, 1* (6), 2019, pp. 261-262, https://doi.org/10.1007/s11023-018-9482-5.

GARCÍA DE ENTERRÍA, E. y FERNÁNDEZ, T.R.: *Curso de Derecho Administrativo*, Vol. 1., Civitas, 11.ª ed., 2000.

GARCIA, D.: "Battle Bots: How the World Should Prepare Itself for Robotic Warfare", *Foreign Affairs* (New York, 5 June 2015), https://www.foreignaffairs.com/articles/2015-06-05/battle-bots.

GOODMAN, B., FLAXMAN, S.: "European Union regulations on algorithmic decision-making and a 'right to explanation'", 2016, arXiv: 1606.08813 [stat.ML].

GUNNING, D.: *Explainable artificial intelligence (XAI)*. Defense Advanced Research Projects Agency, DARPA/I20, 2017.

HAJIAN, S.; BONCHI, F. y CASTILLO, C.: "Algorithmic bias: From discrimination on discovery to fairness-aware data mining", *Proceedings of the 22nd ACM SIGKDD international conference on knowledge discovery and data mining*: 2016, pp. 2125-2126.

HAYNES, A.: "New e-Estonia factsheet: National AI 'Kratt' Strategy", junio de 2020.

HEINEGG, W. H. and BERUTTO, G. L. (ed.): *International Humanitarian Law and New Weapon Technologies*, 34th Round Table on Current

Issues of International Humanitarian Law (Sanremo, 8th-10th September 2011), Franco Angeli, 2012.

HERNÁNDEZ PEÑA, J. C.: "Gobernanza de la Inteligencia Artificial en la Unión Europea. La construcción de un marco ético-jurídico aún inacabado", *Revista General de Derecho Administrativo*, n.º 56, 2021.

HOFFMANN-RIEM, W.: "Artificial intelligence as a challenge for law and regulation", en *Regulating artificial intelligence, Spinger*, 2020, pp. 1-29.

HUERGO LORA, A.: "Regular la inteligencia artificial (en Derecho Administrativo)", *El blog. Revista de Derecho Público*, (http://blogrdp. revistasmarcialpons.es/blog/regular-la-inteligencia-artificial-en-derecho-administrativo-por-alejandro-huergo-lora/).

–: "Una aproximación a los algoritmos desde el Derecho Administrativo", en libro colectivo *La regulación de los algoritmos*, Aranzadi Thomson Reuters, 2020, pp. 23 a 85.

JOBIN, A.; IENCA, M. & VAYENA, E.: "The global landscape of AI ethics guidelines", *Nature Machine Intelligence*, 1 (9), 2019, pp. 389-399.

KAEVATS, M.: "Estonia considers a 'kratt law' to legalise Artifical Intelligence (AI)", 25 de septiembre de 2017.

KAMINSKI, M. E.: "The right to explanation, explained", *Berkeley Technology Law Journal*, 34(1), 2019, 189-218. https://doi.org/10.15779/Z38TD9N83H.

KROLL, J. A.; HUEY, J.; BAROCAS, S.; FELTEN, E. W.; REIDENBERG, J. R.; ROBINSON, D. G., & YU, H.: "Accountable algorithms", *University of Pennsylvania Law Review*, 165 (3), 2017, pp. 633–705, https://scholarship.law.upenn.edu/penn_law_review/vol165/iss3/3.

LANGER, P. F.: "*Lessons from China – The Formation of a Social Credit System: Profiling, Reputation Scoring, Social Engineering*", en The 21st Annual International Conference on Digital Government Research. Association for Computing Machinery, New York, 2020, pp. 164–174; DOI: https://doi.org/10.1145/3396956.3396962.

LAZCOZ, G. & CASTILLO PARRILLA, J. A.: "Valoración algorítmica ante los derechos humanos y el Reglamento General de Protección de Datos: el caso SyRI", en *Revista Chilena de Derecho y Tecnología*. 9.2020.

LEA, G.: "Why we need a legal definition of artificial intelligence", *The Conversation*, 2 September 2015 (https://theconversation.com/why-we-need-a-legal-definition-of-artificial-intelligence-46796).

LESSIG, L.: *Code version 2.0, Cambridge, 2016.*

LEVIN, S.: "A beauty contest was judged by AI and the robots didn't like dark skin", *The Guardian* (London, 8 September 2016), https://www.theguardian.com/technology/2016/sep/08/artificial-intelligence-beauty-contest-doesnt-like-black-people.

LIPPERT-RASMUSSEN, K.: *Born Free and Equal? A Philosophical Inquiry Into the Nature of Discrimination,* Oxford: Oxford University Press, 2013.

LIPTAK, A.: "Sent to Prison by a Software Program's Secret Algorithms", *New York Times,* 1 de mayo de 2017.

LISTENMAA, I.; MORRIS, J.; ANG, A.; HANAFIAH, M. and CHEONG, R.: "An NLG pipeline for a legal expert system: a work in progress", 2021, arXiv preprint arXiv: 2107.02421.

MARTÍN DELGADO, I.: "Naturaleza, concepto y régimen jurídico de la actuación administrativa automatizada", *Revista de Administración Pública,* núm. 180, 2009, p. 371.

MCMILLAN, D., & BROWN, B.: "Against ethical AI", In *Proceedings of the Halfway to the Future Symposium 2019* (pp. 1-3).

MERIGOUX, D., CHATAING, N. and PROTZENKO, J.: "Catala: A Programming Language for the Law", 2021, arXiv preprint arXiv: 2103.03198.

MONTES, R.; MELERO, F.J.; PALOMARES, I.; ALONSO, S.; CHIACHÍO, J.; CHIACHÍO, M.; MOLINA, D.; MARTÍNEZ-CÁMARA, E.; TABIK, S.; HERRERA, F.: *Inteligencia Artificial y Tecnologías Digitales para los ODS,* Publicación de la Real Academia de Ingeniería, enero, 2021.

MORENO REBATO, M.: "Regulación e intervención administrativa en la negociación algorítmica de alta frecuencia: la CNMV en este contexto", en *Los nuevos desafíos del Derecho Público Económico. Homenaje al profesor José Manuel SALA ARQUER,* Servicio de Publicaciones del Congreso de los Diputados, 2019, pp. 975-1018.

NAVAS NAVARRO, S.: "Derecho e inteligencia artificial desde el diseño. Aproximaciones", en NAVAS NAVARRO, S.: *Inteligencia artificial. Tecnología, Derecho,* Tirant lo Blanch, 2017.

NISA ÁVILA, J. A.: "Robótica e Inteligencia Artificial ¿legislación social o nuevo ordenamiento jurídico?", en *ElDerecho.com,* 30 de marzo de 2016.

NOBLE, S. U.: *Algorithms of oppression: How search engines reinforce racism.* New York University Press. 2018.

O'NEIL, C.: *Weapons of math destruction: How big data increases inequality and threatens democracy*. Broadway Books. 2016.

ORWAT, C.: *Risks of discrimination through the use of algorithms*, Federal Anti-Discrimination Agency (Germany), 2020.

PADILLA RUIZ, P.: "Inteligencia artificial y Administración Pública. Posibilidades y aplicación de modelos básicos en el procedimiento administrativo", *El Consultor de los Ayuntamientos*, Rev. 10/2019, pp. 96 y ss.

PALMA ORTIGOSA, A.: "Decisiones automatizadas en el RGPD. El uso de algoritmos en el contexto de la protección de datos", *Revista General de Derecho Administrativo*, n.° 50, 2020.

PEARSON,J.:"It'sTooLate–We'veAlreadyTaughtAItoBeRacistandSexist", en *Motherboard*, 25 May 2016, https://motherboard.vice.com/en_us/article/weve-already-taught-artificial-intelligence-to-be-racist-sexist.

PEDRESCHI, D. & RUGGIERI, S. & TURINI, F: "Discrimination-aware data mining", *Proceedings of the ACM SIGKDD International Conference on Knowledge Discovery and Data Mining*. 2008, pp. 560-568.

PEREZ, S.: "Microsoft silences its new A.I. bot Tay, after Twitter users teach it racism", en *Tech Crunch*, 24 March 2016, https://techcrunch.com/2016/03/24/microsoft-silences-its-new-a-i-bot-tay-after-twitter-users-teach-it-racism/.

PERTIERRA, M. A.; LAWSKY, S.; HEMBERG, E. and O'REILLY, U.M.: "Towards Formalizing Statute Law as Default Logic through Automatic Semantic Parsing", en ASAIL@ ICAIL, 2017.

PONCE SOLÉ, J.: "Inteligencia artificial, Derecho Administrativo y reserva de humanidad: algoritmos y procedimiento administrativo debido tecnológico", *Revista General de Derecho Administrativo*, n.° 50, 2019.

REISMAN, D.; SCHULTZ, J.; CRAWFORD, K., & WHITTAKER, M.: *Algorithmic impact assessments: A practical framework for public agency accountability*, AI Now Institute, 2018.

RODRÍGUEZ GARCÍA, J. A.; MORENO REBATO, M.: "¡El futuro ya está aquí! Derecho e Inteligencia artificial", en *Revista Aranzadi de Derecho y Nuevas Tecnologías*, 2018, Número 48 (septiembre-diciembre).

RUSSELL, S. J. y NORVIG, P.: *Inteligencia Artificial: Un Enfoque Moderno*, 2.ª edición, Pearson, 2008.

SAINATO, M.: "Stephen Hawking, Elon Musk, and Bill Gates Warn About Artificial Intelligence", *Observer*, 19 August 2015; http://observer.

com/2015/08/stephen-hawking-elon-musk-and-bill-gates-warn about-artificial-intelligence/.

SALGADO, M. y CASTILLO, J.: "Differential status evaluations and racial bias in the Chilean segregated school system", *Sociological Forum*, 33, 2, 2018, pp. 354-37.

SAMOILI, S.; LÓPEZ COBO, M.; GÓMEZ, E.; DE PRATO, G.; MARTÍNEZ-PLUMED, F. y DELIPETREV, B.: *AI Watch. Defining Artificial Intelligence. Towards an operational definition and taxonomy of artificial intelligence*, 2020, Luxembourg.

SANCHO LÓPEZ, M.: "Estrategias legales para garantizar los derechos fundamentales frente a los desafíos del big data", *Revista General de Derecho Administrativo*, n.° 50, 2019.

SANTOS, J. A.; FERNÁNDEZ, A.; MORENO-REBATO, M.; BILL-HARDT, H.; RODRÍGUEZ-GARCÍA, J.A.; OSSOWSKI, S.: "Legal and ethical implications of applications based on agreement technologies: the case of auction-based road intersections", *Artificial Intelligence and Law*, 28, pp. 385–414, 2020, https://doi.org/10.1007/s10506-019-09259-8.

SCHERER, M.: "Is Legal Personhood for AI Already Possible Under Current United States Laws?", *Law and AI*, May 14, 2017, pp. 353-400.

SCHMITT, M. N.: "Autonomous Weapon Systems and International Humanitarian Law: A Reply to the Critics", *Harvard National Security Journal Features*, 2013, pp. 1-37.

SERGOT, M. J.; SADRI, F.; KOWALSKI, R. A.; KRIWACZEK, F.; HAMMOND, P. and CORY, H. T.: "The British Nationality Act as a logic program", *Communications of the ACM (Association of Computing Machinery), vol.* 29, 5 (May 1986), DOI=http://dx.doi.org/10.1145/5689.5920.

SHEAD, S.: "European politicians have voted to rein in the robots", en *Business Insider Nederland*, 16 February 2017.

SHEN, F: "Social credit system in China", https://www.researchgate.net/publication/331733377_Social_Credit_System_in_China.

SMUHA, N. A.: "The EU approach to ethics guidelines for trustworthy artificial intelligence", *CRi-Computer Law Review International*, 20 (4), 2019, pp. 97-106.

SORIANO ARNANZ, A.: "Decisiones automatizadas y discriminación: aproximación y propuestas generales", *Revista general de Derecho Administrativo*, IUSTEL, n.° 56, 2021.

–: *Data protection for the prevention of algorithmic discrimination*, Aranzadi, 2021.

SUÁREZ-GONZALO, S.: "Tus likes, ¿tu voto? Explotación masiva de datos personales y manipulación en la campaña electoral de Donald Trump a la presidencia de EEUU 2016", en *Quaderns del CAC*, n.° 44, 2018.

SURDEN, H.: "Artificial intelligence and law: An overview", *Georgia State University Law Review, 35* (4), 2019, pp. 1305-1337.

–: "Values Embedded in Legal Artificial Intelligence", en *University of Colorado Law Legal Studies Research Paper*, No. 17, 15 Mar 2017.

SWEENEY, L.: "Discrimination in online ad delivery", 2013, arXiv preprint arXiv: 1301.6822.

SWIFT, T.; WARREN, D.S.: "XSB: Extending Prolog with Tabled Logic Programming"; *Theory and Practice of Logic Programming*, 2012, 12 (1-2), pp. 157–187, https://doi.org/10.1017/S1471068411000500.

THURNHER, J. S.: "The Law That Applies to Autonomous Weapon Systems", *ASIL Insights;* vol. 17 (4), 2013, https://www.asil.org/insights/volume/17/issue/4/law-applies-autonomous-weapon-systems.

TISCHBIREK, A.: "Artificial intelligence and discrimination: Discriminating against discriminatory systems", en *Regulating Artificial Intelligence*, Springer, 2020, pp. 103-121.

TRUBY, J.: "Governing artificial intelligence to benefit the UN sustainable development goals", *Sustainable Development*, 2020, https://doi.org/10.1002/sd.2048.

URBAN, J.; KARAGANIS, J. y SCHOFIELD, B.: "Notice and Takedown in Everyday Practice", en *UC Berkeley Public Law Research Paper*, 2016.

VESTBY, A., & VESTBY, J.: "Machine learning and the police: Asking the right questions", *Policing: A Journal of Policy and Practice*, 2019, *https://doi.org/10.1093/police/paz035.*

VESTRI, G.: "La inteligencia artificial ante el desafío de la transparencia algorítmica. Una aproximación desde la perspectiva jurídico-administrativa", *Revista aragonesa de Administración Pública*, 2021, pp. 373 y ss.

VIHMA, P.: "AI to help serve the Estonian unemployed", febrero 2021.

WACHTER, S.; MITTELSTADT, B. & FLORIDI, L.: "Why a right to explanation of automated decision-making does not exist in the General

Data Protection Regulation", *International Data Privacy Law*, 7 (2), 2017, pp. 76–99, https://doi.org/10.1093/idpl/ipx005.

WACHTER, S.; MITTELSTADT, B. & RUSSELL, C.: "Counterfactual explanations without opening the black box: Automated decisions and the GDPR", *Harvard Journal of Law & Technology*, 31 (2), 2017, pp. 841–888, https://heinonline.org/HOL/P?h=hein.journals/hjlt31&i=860.

WALKER-OSBORN, Ch. and CHAN, Ch.: "Artificial Intelligence and the Law", *ITNOW*, Volume 59, Issue 1, 1, March 2017, https://doi.org/10.1093/itnow/bwx017.

WEBB, J.: "Legal Technology: The Great Disruption?", *University of Melbourne Legal Studies Research Paper*, 2020.

WEISS, L. G.: "Autonomous Robots in the Fog of War", *IEEE Spectrum* (New York, 27 July 2011); http://spectrum.ieee.org/robotics/military-robots/autonomous-robots-in-the-fog-of-war.

WELLER, A.: "Challenges for transparency", en W. SAMEK, G. MONTAVON, A. VEDALDI, L. HANSEN, & K. R. MÜLLER (Eds.), *Explainable AI: Interpreting, explaining and visualizing deep learning*, Springer, 2017, pp. 23-40.

WILLIAMS, B. A., et al.: "How Algorithms Discriminate Based on Data They Lack: Challenges, Solutions, and Policy Implications.", *Journal of Information Policy*, vol. 8, 2018, pp. 78–115, JSTOR, www.jstor.org/stable/10.5325/jinfopoli.8.2018.0078.

ŽLIOBAITĖ, I.; CUSTERS, B.: "Using sensitive personal data may be necessary for avoiding discrimination in data-driven decision models". *Artificial Intelligence and Law*, 24, 2016, pp. 183, 201, https://doi.org/10.1007/s10506-016-9182-5.

ZUIDERVEEN BORGESIUS, F. J.: "Strengthening legal protection against discrimination by algorithms and artificial intelligence", *The International Journal of Human Rights*, 24:10, 2020, pp. 1572-1593, DOI: 10.1080/13642987.2020.1743976.

Thomson Reuters Proview
Guía de uso

¡ENHORABUENA!

ACABAS DE ADQUIRIR UNA OBRA QUE **INCLUYE LA VERSIÓN ELECTRÓNICA.**
APROVÉCHATE DE TODAS LAS FUNCIONALIDADES.

ACCESO INTERACTIVO A LOS MEJORES LIBROS JURÍDICOS
DESDE IPHONE, IPAD, ANDROID Y
DESDE EL NAVEGADOR DE INTERNET

FUNCIONALIDADES DE UN LIBRO ELECTRÓNICO EN **PROVIEW**

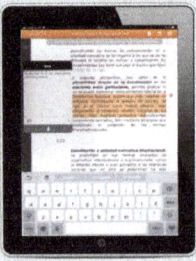

SELECCIONA Y DESTACA TEXTOS
Haces anotaciones y escoges los colores para organizar tus notas y subrayados.

USA EL TESAURO PARA ENCONTRAR INFORMACIÓN
Al comenzar a escribir un término, aparecerán las distintas coincidencias del índice del Tesauro relacionadas con el término buscado.

HISTÓRICO DE NAVEGACIÓN
Vuelve a las páginas por las que ya has navegado.

ORDENAR
Ordena tu biblioteca por: Título (orden alfabético), tipo (libros y revistas), editorial, jurisdicción o área del Derecho.

CONFIGURACIÓN Y PREFERENCIAS
Escoge la apariencia de tus libros y revistas en ProView cambiando la fuente del texto, el tamaño de los caracteres, el espaciado entre líneas o la relación de colores.

MARCADORES DE PÁGINA
Crea un marcador de página en el libro tocando en el icono de Marcador de página situado en el extremo superior derecho de la página.

BÚSQUEDA EN LA BIBLIOTECA
Busca en todos tus libros y obtén resultados con los libros y revistas donde los términos fueron encontrados y las veces que aparecen en cada obra.

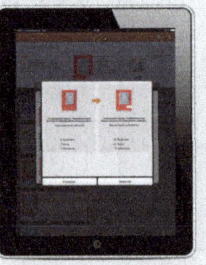

IMPORTACIÓN DE ANOTACIONES A UNA NUEVA EDICIÓN
Transfiere todas sus anotaciones y marcadores de manera automática a través de esta funcionalidad.

SUMARIO NAVEGABLE
Sumario con accesos directos al contenido.

THOMSON REUTERS

Estimado/a cliente/a,

Para acceder a la versión electrónica de este libro, por favor, accede a **http://onepass.aranzadi.es**

Tras acceder a la página citada, introduce tu dirección de correo electrónico (*) y el código que encontrarás en el interior de la cubierta del libro. A continuación pulsa enviar.

Si te has registrado anteriormente en **"One Pass"** (**), en la siguiente pantalla se te pedirá que introduzcas el NIF asociado al correo electrónico. Finalmente, te aparecerá un mensaje de confirmación y recibirás un correo electrónico confirmando la disponibilidad de la obra en tu biblioteca.

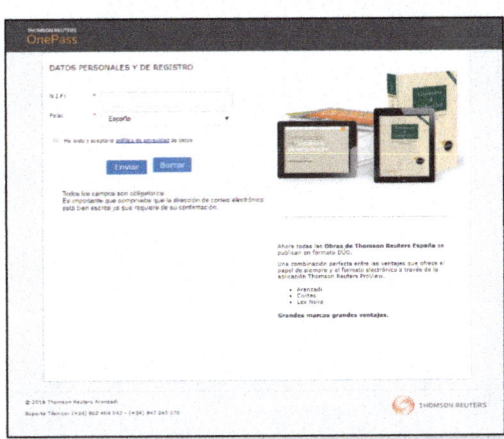

Si es la primera vez que te registras en **"One Pass"** (**), deberás cumplimentar los datos que aparecen en la siguiente imagen para completar el registro y poder acceder a tu libro electrónico.

- Los campos **"Nombre de usuario"** y **"Contraseña"** son los datos que utilizarás para acceder a las obras que tienes disponibles en **Thomson Reuters Proview™** una vez descargada la aplicación, explicado al final de esta hoja.

Cómo acceder a **Thomson Reuters Proview™:**
- **iPhone e iPad:** Accede a AppStore y busca la aplicación **"ProView"** y descárgatela en tu dispositivo.
- **Android:** accede a Google Play y busca la aplicación **"ProView"** y descárgatela en tu dispositivo.
- **Navegador:** accede a **www.proview.thomsonreuters.com**

Servicio de Atención al Cliente

Ante cualquier incidencia en el proceso de registro de la obra no dudes en ponerte en contacto con nuestro Servicio de Atención al Cliente. Para ello accede a nuestro Portal Corporativo en la siguiente dirección **www.thomsonreuters.es** y una vez allí en el apartado del **Centro de Atención al Cliente** selecciona la opción de **Acceso** a Soporte para no Suscriptores (compra de Publicaciones).

(*) Si ya te has registrado en **Proview™** o cualquier otro producto de Thomson Reuters (a través de One Pass), deberás introducir el mismo correo electrónico que utilizaste la primera vez.

(**) **One Pass:** Sistema de clave común para acceder a Thomson Reuters Proview™ o cualquier otro producto de Thomson Reuters.